吴清忠 著

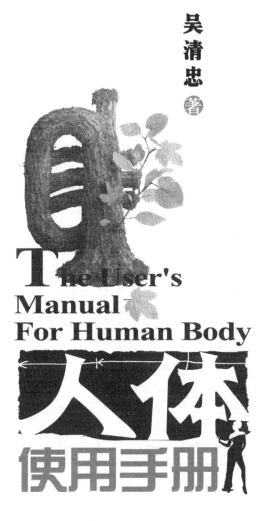

The User's
Manual
For Human Body

人体
使用手册

花 城 出 版 社

中国·广州

图书在版编目（CIP）数据

人体使用手册

吴清忠著

—广州：花城出版社，2006.1（2008.3重印）

ISBN 978-7-5360-4631-3

Ⅰ.人　Ⅱ.吴　Ⅲ.中医学—保健　Ⅳ.R21

中国版本图书馆 CIP 数据核字（2006）第 158588 号

责任编辑：　林宋瑜　颜展敏
技术编辑：　薛伟民
封面设计：　蒲伟生

出版发行　**花城出版社**
　　　　　（广州市环市东路水荫路 11 号）

经　销　**全国新华书店**
印　刷　**广东科普印刷厂**
　　　　　（广州市三元里大道北棠新西街 69 号）

开　本　787×1092 毫米　16 开
印　张　15.25　1 插页
字　数　210,000 字
版　次　2006 年 1 月第 1 版　2009 年 1 月第 38 次印刷
印　数　1,380,000—1,430,000
定　价　29.00 元

如发现印装质量问题，请直接与印刷厂联系调换
购书热线 020-37604658　37602819
网址：http://www.fcph.com.cn
编辑部电话：020-37592134

感　谢

　　这本书的出版，首先要感谢家人的全力支持，母亲、岳父母和兄弟姊妹的不断亲身体验；妻子的协助校稿；特别是小儿子坤骏的整个成长期为了支持我的想法，严格地实行早睡的规律生活，养得一张白里透红的苹果脸。

　　同时要感谢我学习和研究中医的两个老师费伦教授和陈玉琴女士，以及上海著名漫画家郑辛遥先生特别为本书绘制插图。

　　费伦教授原来服务于上海复旦大学，现任职上海市经络科学研究中心。费教授是中国著名的科学家，从1993年开始从事经络物质的研究，1998年3月在中国的科学通报上第一次发表研究成果。这份研究报告，是人类第一次用物理学的方法，从人体解剖中证实经络确实存在的证据。

　　陈玉琴女士是一个自学成功的推拿师。她从中国古籍中体会出一套独特的人体逻辑，并且用这套逻辑，加上推拿的治疗手法，先后克服了许多不同的慢性病。陈女士很多宝贵的临床经验是我学习中医的最早启蒙经验，也是这本书中身体部分养生法的基本观念来源。

目录 *contents*

目录 *contents*

目录 contents

目录 contents

目录 *contents*

目录 contents

序

吴小兰

　　"中医"是我们祖先留下来最重要的遗产之一，在过去三千年间，它为我们的先人解决了无数的病痛。但在近百年来，中国受到列强的侵略，西方文化进入闭锁的中国，西方的医术、医学也进入我国，中医、西医碰撞了起来。中医的发展也受到很大的影响，可以说是一段颠簸停顿的历史。1949 年新中国成立后，提倡中西医结合，中医得到大力支持，在中医界相继有用现代科学化的语言文字阐明治本方面的论述，使人们了解中医理论人与自然的关系，可谓天人合一。

　　进入 21 世纪，我国人口老化也随之而来，高龄老人最大的问题就是来自慢性病的医疗及保健问题。自我国改革开放以来，大量引进西方医学、医术和设备，同时也引进了西方世界不断增长的医疗支出体系，给人口众多的我国增添了很大的经济负担。在这个时机，这本书的出版有很重要的意义，提醒我们，中医"治于未病"的自然方法，很可能是解决老年化人群健康的一个重要方向。

　　本书作者吴清忠先生是一个在中国大陆工作了十多年的台湾人，许多我国在中医经络研究中的重大发展，我是看了这本书后才了解的。这本书中提到杰出班子的工作成果也提醒了我们，中医现代化不可局限在医学界里，应该有更多的基本科学学科的科学家参与工作。中医现代化是我们这一代中国人不可推卸的责任，我们期许未来解开中医神秘面纱的必定是我们中国人。

二〇〇五·十月

从信息科技的观点阐释中医

　　小时候英文课本中，一个国王祈求点石成金的故事让我印象深刻，"点石成金"是西方自古以来科学发展的最主要动力。相对于西方的点石成金，东方的中国帝王则不断地追求长生不老术。这两种不同的动机，推动着东西方的科学走向两个不同的方向。

　　记得小时候，书本上介绍科学家时，所用的图片都是放了一大堆瓶瓶罐罐的化学家，在20世纪末期信息工业开始发展之前，大家印象中的科学家大多数是化学家。西方的医学就是在那样的时空背景中发展出来的，无论是检查或者治病的药，都是化学的逻辑、方法和制品。一直到今天，西方医学仍然充满了化学科技的影子，甚至可以说是用化学方法来治病的科学。

　　中国人从追求了几千年的长生不老术，发展出独具一格的医疗技术。中医认为人体是一个小宇宙，而且建立了阴阳、五行的理论。近百年来，无论西方人或中国人都认为这种阴阳五行的理论没有科学根据，根本是玄学。20世纪末和本世纪初，信息和网络科技成为新科技的象征，几乎人人都或多或少地具备一定程度的信息或网络科技知识，信息和网络科技中最重要的是系统学。

　　从现代系统学的观点回头看中医的阴阳五行，我们可以发现原来

一对男女在一起，一不小心就制造出一个人来。复杂而完美的人体，就用这么简单的方法制造出来。

阴阳五行理论，是那个没有仪器和数据的年代，用来描述系统的一种方法。在过去我们无法找到一个类似的系统利用比拟的方式来解释人体。但是在现代系统学发达的年代，用我们熟知的信息和网络系统来解释人体，将是一个使中医更容易被理解的方法。这本书就是试着用这个角度来描述中医理论。和西方医学相比，中医可以说是运用系统学原理治病的科学。

软件是信息科技中最特别的事物，它是人类制造的第一个无法从硬件中用肉眼看到的东西，如果不明白有软件的存在，直接用解剖计算机硬件的方法，无法证实软件的存在。人体的功能比计算机复杂千万倍，从信息科技的观点来看，人体不可能只是单纯的硬件，必定存在着我们无法用解剖学验证的许多软件。中医学的许多理论和概念，很可能就像计算机的软件一样，永远无法从解剖学中得到验证。

人体是一个非常复杂的系统，而制造方法却很简单，只要一对男女在一起，一不小心就会制造出一个人来，可是人体的维护却又极为复杂。医院里的医生在医学院里必须读七年，然后又要在医院中继续学习多年之后，才能成为一个能够独当一面的医生。可是即便是今日最著名的医生，也有一箩筐的疾病是他束手无策的。

在我花了多年时间研究中医之后，发现错误的健康观念所形成的

大多数慢性病其实是用错误的
方法使用人体所造成的结果。

———————————————

错误生活习惯，以及对于疾病的错误处理方式，使得人体的血气水平
不断下降，各种不同程度的血气不足，形成了不同的慢性病。也就是
说，大多数慢性病其实是用错误的方法使用人体所造成的结果。

　　现代医学面对众多无法解决的慢性病，一味地寄望未来某一天能
发明新的药物，一举克服某一种疾病，这种研究方向很可能是不切实
际的。回复正确的生活习惯，并且用正确的方法处理疾病，使人体的
血气逐渐上升，让身体的修复和再生系统发挥作用，应该是人类更有
机会克服慢性病的途径。

第一章　对现代医学的质疑

三个现代医学的现象

● 自从 1960 年代，沙宾疫苗克服了小儿麻痹症之后，40 多年来没有再听到哪个疾病又被克服的好消息。

● 除了外伤性疾病和传染病以外的各种慢性病，例如高血压、糖尿病、尿毒症、红斑性狼疮……以及各式各样的癌症，多数只能控制不能治愈。

● 多年来不断有医学新科技进展的发表，每一届的诺贝尔医学奖也从未缺席，但是所有最新医学科技的进展，永远都预告着明天或将来的某一天，人类有机会解决某一个慢性病，从来没有今天已经解决了哪一个慢性病的消息。**几十年来那么多不能治的慢性病，一个也没解决。**

面对这三个现象，说明现代医学似乎原地打转了几十年，对慢性病一筹莫展，它的问题必定不是有没有找到新药这么简单，很可能是现代医学的基本思考逻辑，或在最根本的发展方向上出了问题。

从系统结构来看，人和计算
机有许多基本的架构是非常
类似的。

计算机科技的启示

人体的电压是什么

计算机科技是这个世纪多数人都能了解的，从系统结构来看，人和计算机有许多基本的架构是非常类似的。因此，我经常用一个大家都熟悉的个人计算机例子来说明人体疾病的原因。

现代个人计算机的电源供给器，都使用电子式的，打开操作手册中的规格，可以看到电压允许有上下35%的浮动。因此，一部额定电压为110伏特的计算器，当外界电源的电压下降到70伏特时，是允许额度中的下限，理论上个人计算机还可以正常运行（当然品质太差的除外）。当电压下降到60伏特时，超过了下限，系统可能会出现问题，假设这时问题出在磁盘驱动器。电压太低的问题不用仪器测量是看不出来的，使用者只看到磁盘驱动器出现了故障。这时工程师应该处理哪个部分？是电源还是磁盘驱动器？答案非常清楚。

在电子工程师眼里这是一个很简单的笨问题，一个受过基本训练的电子工程师，修理个人计算机的第一个步骤就是测量电源电压，很快的就会发现是电压的问题。等电压调到正常范围以后，再看看磁盘驱动器是不是还有问题。多数情形下磁盘驱动器始终是好的，只要电压正常了，问题也就解决了。

　　如果相同的情形发生在人体上，就不再是一个笨问题了。磁盘驱动器就像是人体的一个器官，在这个例子我们假设是肾脏。用前面电子工程师修理个人计算机的逻辑来思考，问题就大了。第一个问题是**"人体的电压"**是什么?没有电压可以量，就没有证据说明是能量水平有问题，而各种证据又显示磁盘驱动器(肾脏)坏了，当然是修磁盘驱动器了，也就是修理肾脏。于是用上了各种治疗肾脏病的药，甚至还把肾脏废了再加个新的都无济于事，很可能多数被废掉的肾脏根本就是好的。

　　由于至今医学上没有任何一个指标是用来测量人体能量水平的，从这个角度来说，现代医学和电子学相比，还在尚未发现电压的年代，没有发现电压，当然电子学也就无从存在，更谈不上发展了。

　　一切讲究证据是西方医学最重要的原则之一，在这个例子里，由于人类至今还没有能力提出证据来证明人体的能量不够，现代医学的原则是：不能用还没有经过证实的观念来诊断和治病。由于这个例子，有明显的证据显示肾脏的异常，在这种情形下，所有的医生都会

身体原本就配备着更精密的功
能，例如自我治疗甚至组织再
生的功能。

认为是肾脏的疾病。

　　然而，医生花主要的精力治疗肾脏，很可能就像前一个例子中，电子工程师不调整电源电压而修磁盘驱动器一样的缺乏专业常识。可是在今天以"头痛医头、脚痛医脚"为逻辑的医学世界里，这样的思考逻辑，却像真理一样地被大家所奉行。尿毒症之所以成为不治之症也就理所当然了。

人体一定比计算机完美

　　现代的个人计算机，具有自我诊断和部分自我修复的功能。上帝设计的人体必定有更好的功能，套一句佛家的话语："这个创造所赋予的宝贵肉身，原本就万法具足。"身体原本就配备着更精密的功能，例如自我治疗甚至组织再生的功能。

　　就像计算器的各种强大功能，都对计算器的配备有一定的要求一样，人体的各种机能，对人体的能量也有一定的要求。当能量下降到一定的水平时，组织的调节、再生能力就大打折扣；再下降到某一水平时，自我治疗能力就失去功能；再下降则废物的排除能力、免疫和组织再生能力，都会逐一失去功效。人类科技不断地进步，生活习惯

生了病的人总想找到能够药到病除的灵丹妙药，却不愿意调整自己的生活习惯，去除真正的病因。

也不断地改变。这些改变大多对人体造成直接或间接、深或浅的影响。

例如，睡眠习惯的改变，很可能使我们占用了身体造血或自我治疗的调理时间。加上长期以来，我们用一知半解的医术来对抗疾病，许多治疗的手段对身体产生了不良的影响，使得人体的吸收能力受到很大的阻碍。这些问题都会造成人体能量的下降，而使人体逐渐失去各种功能，造成各种各样的疾病。

就像现代个人计算机即插即用 (Plug & Play) 的简单特性一样，如果依照使用手册使用个人计算机，计算机应该不太容易出现故障。同样的，人体具备了许多的功能，如果能依照人体所设定配备的条件来使用人体，让人体原先具备的各种能力都能发挥，就能确保人体随时都拥有足够的能量，许多疾病就不会发生。就算生病了，人体的自我修复功能，也会像个人计算机的磁盘驱动器自动修复程序一样，有能力自行修复大多数的损伤。

我们相信人体必定比他自己设计出来的个人计算机更完美，保持健康应该就像使用个人计算机一样简单，只要依照操作说明书，不要随便施以干扰，正确地使用就行了。这本人体使用手册，希望能帮助大家更早地学会如何正确地使用身体。

关于血液检查的两个质疑

红血球数量正常就不贫血吗

　　每个人都有过验血的经验，通常是从人体抽取一定数量的鲜血，装入一个小试管，将这些血液送到检验室进行各种化验。最常做的就是计算血液中的红血球、白血球和血小板的数量。如果红血球太少，医生就判定你贫血；白血球太多，就判定你大概在发炎，再多些就判定你是白血病。

　　表面上看起来这很科学，这种检查也沿袭多年，好像都没有问题。可是，仔细想想问题可还不小。就拿贫血的判定来说，当红血球的数量不够时，医生就判定你贫血，如果少到危害生命时，就会用输血的方法来进行急救。所谓贫血就是说你的总血量太少，可是从几CC血液的测量就能得出一个人的总血量不足，这种测量真的可靠吗？

　　这种测量方法，是在一定容积的血液中测量出其中各种成分的比例，用化学的名词来说，就是各种成分在血液中的浓度。这是一种定性的测量，可是却得出一个总量的结果，记得在初中学过的化学课程里，这是非常不合逻辑的。

这种测量方法，就好比统计一个广场中的人数时，找出其中的一百个人，计算出其中有六十个男人和四十个女人，从这个结果无论如何都无法得出广场中有一万人的结论。"六十个男人和四十个女人"和"血液中各种成分的浓度"都是一种比例的特性，最后的结果却是"一万人"和"贫血"的数量结果，这种逻辑是不通的。

血液中的"红血球总量"是"红血球浓度"乘上"血液总体积"的结果，如果直接用"红血球浓度"来代表"红血球总量"，那么就是假设"血液总体积"是一个固定不变的常数。也就是说这种测量的方法建立在假设"人体的血液总体积是固定不变"的基础上。可是从任何医学文献中并没有可以证明"人体的血液总体积是一个固定常数"的证据。一向讲究证据的西方医学，有时候并不是那么坚持自己的原则，在这件事上就忘了该讲究的证据。相反的，人体的血管和所有脏器的体积都是由很大变化弹性的物质所构成，从常识判断，人体的血液总体积应该是一个经常变化的数字。

血液中有很大一部分是血清，血清中最主要的成分是水，因此，当验出红血球数太低时，也可以解释为血清太多。红血球数太高时，很可能这个人的血清太少，也就是身体的水太少、人太干了，现在的

人体的血液循环系统和我们
的生活用水系统最大的差异
就在于"循环"两个字。

———————————————————

检验方法并不能用来判断他的"红血球总量"是多了，还是少了。

　　这种检查在普通人身上并没有太大的影响，反正又不会危害生命。可是在急诊室里，这种检查却经常决定了患者的生和死。因为，这个指标是用来决定患者是不是需要输血的重要数据。很可能许多患者只是因为身体的水分吸收能力太差，结果造成血清很少，即使血液总量很低，验血时的红血球数量仍然很高，于是得不到应有的输血急救，因而失去了生命。

　　验血是各种检查中最基本的手段，如果这个部分有这么大的谬误，其它的检查又怎么靠得住呢？

如何判断人体的脏器机能转好还是转坏

　　在我们的生活中，净水是从自来水管中来的，废水是往水沟里走的，分得清清楚楚，人们对于进来的净水都非常注意，用各种方法来改善其品质，对于废水则任其流逝。

　　人体的血液循环系统和我们的生活用水系统最大的差异就在于"循环"两个字，所有的血液都周而复始地反复使用，也就是说人体排出的污染血液和进来的干净血液来源是混在一起的。人体动脉出来的血液是经过清理后的干净血液，静脉则是用过的污染血液。用过的血液必须经过肝脏、肾脏的排毒和清洗，再经肺部将二氧化碳等废气排出，就成为干净的血液。

当人体的血液出现了废物增多的情形时，往往有两种可能，一种是人体脏器机能减退，排毒能力不足，留下来的废物就增加了；另一种可能是人体脏器的机能提高，使得脏器从身体内部清理出来的废物也跟着增加，就像家里大扫除时，垃圾量会大增一样。

这也有点像家中的水系统，当水管有水垢时，由于大部分水垢稳定地附着在管壁上，只有很少部分在水中流动，因此流出来的水仍然非常干净，但是当清理水管时，将管壁上的水垢打下来，这时水就非常混浊了。

人体也有类似的情形，当人体长年劳碌时，体力不断下降，脏器机能也不断减退，这时有许多人体应排出去的废物没有能力排出，多数会在体内各处堆积，只有少部分在血液中流动，这时验血的结果多数还算正常。当有机会休息时，人体血气能力增加，脏器的机能跟着上升，这时会将这些堆积的废物清理出来，经由血液进入肝或肾排出体外。在这个时候，这些废物必定在血液中输送，验血时就会出现不正常的数据，也就是现代医学所谓"生病迹象"的证据。

对慢性病一筹莫展的现代医学，很可能在思考逻辑和方向上出了问题。

因此，当体检数据出现问题时，可以确定这个人的身体状况是不好，但是却不能认定他的身体是在往坏的方向或好的方向发展。也就是说，这种问题的出现，可能是坏事，也可能是好事，不能就以这些检验数据作为最终的判断。

现代医学中慢性病的治疗目标是追求将患者的所有检验指标都恢复到"正常的范围"里，这些治疗手段对于脏器机能上升导致各项检验指标出现问题的患者而言，很可能就中断了身体好转的趋势，阻止了脏器机能的上升，反而造成身体更直接、更具体的伤害。

从这两个验血的问题，可以得到一个简单的结论：

今日各种慢性病之所以无法根治，依据这些有问题的检查方法得出的数据所拟定的治疗手段，是其最根本的原因之一。

人体是一个非常复杂的生化机体，所谓"生化"的另一层意义，即人体是一个有生命的化学工厂，会随时因应内外各种因素自动调整其化学程序。因此，解读测量出来的数据，不但必须了解人体机能状态的好坏，更需要了解人体当时正在进行哪些应变措施，人体处于不同的应变措施状态时，其检查的数据应当有不同的解读。

早期人类科技能力不足时所订定下来的检查方法，有必要重新全盘检讨，否则现代医学恐怕永远无法走出目前的困境。

第二章　人体的系统

　　中国的医学理论和西方的理论在根本上有很大的差异，中医的理论认为人体是一个完整的系统。古代聪明的中国医生发明了阴阳和五行的理论。五行是利用自然界五种不同特性的元素来比拟人体的五种不同的主要器官。金、木、水、火、土等五种元素，对应于人体的五个主要脏器：肺、肝、肾、心、脾，其中每一个器官对应一种元素，肺对应于金；肝对应于木；肾对应于水；心脏对应于火；脾脏对应于土。

　　古代的人类并没有任何解剖学的知识，人体内部的器官对大多数人而言，都是非常抽象的，除了用想象的之外，没有什么好的方法来形容。不但器官的形体无法形容，器官的性质和功能就更不容易说明了。自然界的金、木、水、火、土这些元素；多数人都能理解其特性，因此非常适合用来把抽象的人体器官性质解释清楚。同时这些元素的性质，也提供医生们思考和演绎疾病成因的灵感来源。

　　中医理论认为人体的器官不是独立存在着，每一个器官都是一个系统，包含了器官本体，以及和每一个器官相对应的经络和穴位。这种情形和现代的电灯系统有点类似，器官就像灯泡一样，经络则像是接引电源至灯泡的电线，穴位则像是接在电线上的开关。包含电灯、电线和开关的完整组合，才能称之为电灯系统。当灯泡不亮时，可能

在一知半解的身体上切切割割必定带来更多的问题。

是没有电，也可能是开关坏了，或电线有问题，或灯泡坏了。而器官的功能不好时，可能是身体的血气（能量）不足（就像电灯没有电），也可能是穴位阻塞（就像开关坏了），或经络堆了太多的垃圾形成不畅通的状态（就像电线有问题），或器官出了问题（就像灯泡坏了）。

中国人有一句俗语，"头痛医头，脚痛医脚"是用来形容医疗技术非常差的医生。当病人出现疾病的症状时，医术高明的中医必需仔细观察病人，利用学自古代医书的技术，以及长期累积的经验，找出疾病的真正根源。例如当我们喝温度很低的冰水时，如果喝得很急，常常会造成脸部侧面的一条直到额头太阳穴的线状部位疼痛。从中医的观点，那条疼痛的线是胃的经络，因此，这种疼痛代表喝冰水太急时，会伤到胃。也就是这种额头上的疼痛实际上却是胃的疾病。胃的经络分布的位置是从头部到脚部左右对称很长的两条线，如果未来在这条经络的头部出现疾病的疼痛时，中医会认定是胃的疾病，但是却可能在胃经脚部的穴位进行针灸。

也就是头部的疼痛，有时是要在脚上治疗，"头痛不一定医头，脚痛不一定医脚"。在古代的中国，如果一个医生只会"头痛医头，脚痛医脚"，人们一定会怀疑他医疗技术的能力。

中国人的这种"脏"和"腑"的分类方法，具备了极高的观察力和智慧。

　　五脏六腑是中国人用了几千年的一个名词，就是指人体内的主要器官。中国人把人体内部的主要器官分为"脏"和"腑"两个大类。"脏"是指实心或有机构的器官，有心、肝、脾、肺、肾五个脏。"腑"是指空心的容器，有小肠、胆、胃、大肠、膀胱等五个腑，另外将人体的胸腔和腹腔合并起来是第六个腑，称为三焦。

　　脏和腑除了在性质上有很大的差异之外，其经络的位置也有很大的不同。所有脏的经络都在手臂和腿部的内侧，以及身体的前侧。腑的经络则在手臂和腿部的外侧，以及身体的背面。当人体面临危险的威胁时，会本能的曲起身躯，所有脏的经络都在身体的内侧，受到了非常好的保护，只有腑的经络暴露在外。相较之下，脏的重要性远比腑重要，如果人的身体真的是造物主所设计，这样的安排是非常合理而高明的。中国人的这种"脏"和"腑"的分类方法，具备了极高的观察力和智慧。

　　另外，古代的中医还发现每一条脏的经络都和另一条腑的经络紧密相连。例如手臂上肺的经络和大肠的经络分别在手臂的内外两侧，用针刺治疗穴位时，如果针尖到达的位置是经络真正的所在，那么肺和大肠的经络实际上可能只有数毫米的距离。

　　虽然从解剖学来看，肺和大肠是在完全不同的位置，甚至找不出任何关联。但是从经络上看，这两个器官却是紧密相连的，而两条经络上的各种物理特性，例如温度、导电性、体液流动等，都会互相受到密切的影响。古代的中医就把这两个器官视为相同的系统，称为"互为表里"。

中国的医生们经过几千年的观察，也确认这两个器官发生变化时，经常是同步而且出现同一性质的变化。例如，出现感冒的症状时，在中医认为是肺热的现象（热和寒的症状是中医对于疾病诊断中非常重要的指标），这时通常也会伴随着便秘的症状，中医称这时的便秘为大肠燥热症。

肺与大肠互为表里的情形也发生在心和小肠、肝和胆、脾和胃、肾和膀胱。这种"脏腑互为表里"的归纳方法，把原来的十个器官减少到五个体系，人体系统分析诊断的复杂程度立刻大幅下降。这样也有机会用五行中的五个元素，来描述所有脏和腑之间复杂的相互关系。

除了这五个主要的脏和腑之外，古代的中医还发现另外有四条主要的经络。第一条是在手臂内侧的中心在线，称为心包经，和心包的机能有密切关系，这条经络功能的好坏直接影响血液运行的状态。第二条在手臂外侧的中心在线，称为三焦经，经常会反映胸腔和腹腔的问题，这条经络功能的好坏直接影响"气"的运行状态。第三条在人

中医的观点中，人体是一体
的，五脏六腑之间互相有非常
紧密的关系，而且是经常保持
平衡的。

体躯干正面的中心在线，称为 任脉，第四条在人体背面，称为 督脉。
任脉和督脉与身体所有器官都有关联，是人体最重要的经络。

由于心包和心脏是在一起的，而三焦却和所有其它的腑没有关
联，因此，中国人就把所有脏腑称为"五脏六腑"。五脏是心、肝、
脾、肺、肾，其中的心包含了心和心包两个系统；六腑则是小肠、
胆、胃、大肠、膀胱、三焦。除了前面所说的五脏和五腑互为表里
外，心包和三焦则是另一组互为表里的经络。

比较中、西医对人体系统的描述，可以看出，西医是从近代的解
剖学为基础，以眼睛所见的硬件结构来建立的系统，各个系统都是独
立的，系统之间并没有太多的关系。中医则是累积了数千年人类经验
所形成的智能，以推理的方式，就整个人体的软硬件结构建立一个具
备了缜密的逻辑和结构的系统，因此能够沿用数千年。

在中国古代的书籍中，很少提到"脑"，这也是中西医概念上很
大的差异之一。

中医的观点中，人体是一体的，五脏六腑之间互相有非常紧密的
关系，而且是经常保持平衡的。除了解剖学所提到的硬件之外，中医
更有许多概念性或功能性的系统。例如能量系统、资源管理系统等。
这些系统在过去科技不发达，没有仪器量测的年代，由于缺乏数字概

在中医的系统中，还有一个非
常重要的部分，就是人体的经
络系统。

念，医书中只能用各种特殊的文字来描述这些系统。如能量系统就用
阴、阳、五行、虚、实、血气和火来描述；资源管理系统则用相生相
克、平衡及其它的方式来描述。由于这些描述和现代科学精确的数据
化用语有很大的差异，使得整个中医看起来成为难以理解的玄学。

从现代工程学来看，以人体这样一个独立运行的系统而言，利用
解剖学所建立的现代医学人体系统有很多缺陷，少了许多东西。例
如，能量系统是所有独立系统中不可或缺的部分。就像个人计算机中
的电源供给系统，汽车上的油路系统和电路系统都是系统中的能量系
统，是非常重要的部分，唯独在医学所描述的人体系统中就没有这个
部分。

在中医的系统中，还有一个非常重要的部分，就是人体的经络系
统，这个部分多年来在解剖学上一直都不能被证实，直到 1998 年中国
大陆的一个科研小组经过 8 年的努力，总算在解剖中找到经络确实存
在的证据，发现整个经络系统中最重要的物质是一种生物液晶的材
质，同时对某些特定波长的远红外线具有近似光纤维的物理特性，这
些新的发现配合 20 世纪末全球计算机网络的发展，很容易让人联想到
人体是否也是由一个网络系统所构成的世界？这些经络物质和电子通
信网络中的物质特性如此接近，更增添了这种可能性。

现代医学最大的问题是：低估了人体自身的智慧，高估了人类知识的能力。

　　从生物的进化过程中，早期的低等动物并没有大脑，经络系统是这些动物体内主要调节各个脏器的机构。以现代计算器术语来说，这些经络系统本身就具备通讯的功能，一个机体很可能不只一个计算机，也就是说动物的机体很可能不是只有单一的脑子，而是由很多个不同功能的脑子构成的一个网络系统组成的。这个观点和现代医学认为大脑是人体诸多机能的主宰有很大差别。

　　人体是具有很高智慧的机体，并且有许多不同的能力，利用现代工程和管理的知识结合对古老中国传统医学的概念，可以仿照计算器的结构，画出另一种**人体的结构方块图**（图一）。

　　这个方块图将人体分为五个功能方块和四个网络系统，分别详述于后。利用这种人体结构的思考逻辑，可以对多数慢性病理论重新进行界定，发展出新的病理逻辑。再依据这个新的病理逻辑，拟定完全不一样的治疗方案，有机会对慢性病的治疗开创出一条新的途径。

多数慢性病，是我们错用了身体的结果。我们需要的，不是灵丹妙药，而是一本正确的人体使用手册。

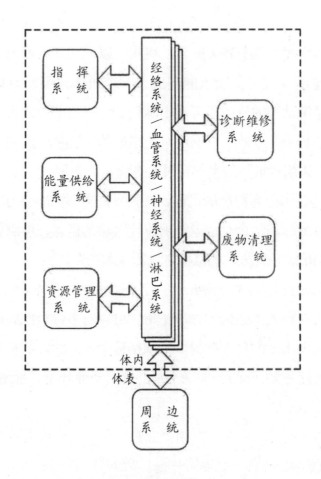

图一　人体系统方块图

人体的功能系统

指挥系统

　　主要由大脑构成，担负思考及指挥身体的机能，但是各个脏器的运行，并不是由这个系统所指挥。指挥系统是利用神经系统将人体各部位的状况传达到大脑，并将大脑的指令直接传达到人体的各个部位，让人体能够对各种外来的刺激作出迅速的反应。

　　许多低等生物并没有大脑，这些生物没有逃亡和攻击的能力，只能无意识地活动，多数的行动均很缓慢。但是这些生物都有和人体五脏六腑类似的脏器功能，能够呼吸、吸收营养、排泄废物等。这说明了大脑可能是生物进化过程中，为了适应外界环境，能够快速运动时，才产生的脏器。

　　在人体的网络结构中，大脑更像是一个企业计算机网络中总经理（CEO）的终端机，各个脏器则更像是网络中不同功能的服务器(Server)。

　　也就是人体的大脑更像一个人体系统的使用者，人体的系统维护

简单地说人体实际上自备了一
个能源材料制造中心和一个发
电厂。

则另有负责的机构。

能量供给系统

任何一个独立的系统必定存在着一个能量供给的子系统。例如，计算机的电源供给器和汽车的油箱和油路系统，人体也必定存在着类似机能的系统。

不过人体的能量供给系统并不像计算机和汽车一样具备明显而独立的硬件。电能和汽油都是很容易使用的能源，但是人体所吃进去的食物种类非常多，也不是可以立即当成能源使用的物质形态。因此，当这些材料进入人体之后，必须经过非常复杂的处理手段，才能转变成类似电能和汽油般容易利用的能源，再送到身体的各个部位使用。简单地说人体实际上自备了一个能源材料制造中心和一个发电厂。因此，人体的能量供给系统也就远较汽车和计算机复杂得多。

人体的能量供给系统是由消化系统将食物转化成人体可以运用的材料，再于适当的时辰，人体进入熟睡状态时，将这些材料转化成人体可以方便利用的血液。因此，人体的能量供给系统至少包括了消化系统加上造血系统和心血管系统，众多的硬件系统才能构成能量供给

应酬的晚餐，所支付的不只是金钱还得付出宝贵的造血时间。

系统。

就像汽车没有油或油路不顺，计算机没有电或电压不足，都会使系统造成严重的运行障碍，甚至完全瘫痪一样。人体的能量不足也必定会对人体造成很大的伤害，很可能是各种慢性病最主要的原因，更可能是造成多数人死亡的真正原因。

因此，彻底明白这个系统，并找出适当的检测手段，使人体的能量水平能像计算机的电压及汽车油箱中的油量一样，可随时测量，才能对人体疾病进行正确的诊断，也才能找到疾病真正的原因。同时也要发展出一套可以很简单就提升人体能量的方法，才能有效克服疾病。

资源管理系统

"透支体力"是我们的日常用语，许多人都有持续长时间休息不足的"透支体力"经验。长期透支体力的人当中，有些人感觉体力愈来愈好，也有些人明显感觉体力愈来愈差，但是仍然都能维持身体的正常运转，并没有立即出现严重疾病的症状。

显然人体内部有一个和计算机软件类似形态的资源管理系统，我

古时候中医诊断所用的阴、阳、
虚、实等名词，用在描述人体的
整体状态时，就是对人体这种能
源调度的描述。

们目前仍然不知道它的硬件是人体的哪一个部分。但是它随时都用最
有效的方法调度人体的资源，当正常的资源不足时，会将身体其它形
式储存的资源转化为立即可用的资源，提供人体"透支体力"时的能
量来源。

　　这个系统拥有高度的智能。当人体长期"透支体力"时，可以在
尽量不影响人体运行的前提下，从身体各个部位调动资源供人体透支
所需，直到所有资源全部用光为止。通常这种"透支体力"的行为可
以维持数十年，而人体仍然能正常运行。

　　当人体在调用储存的能源时，必定会在体内进行特殊的化学程
序，将人体的能量进行转换。因此，这时人体的各种检查指标，如血
液中蛋白及血糖的含量都会产生变化。

　　也就是说当人体不断的透支体力时，身体会不断地调整其化学工
厂中的各种生产流程，来应付逐渐恶化的环境。许多慢性病所检验出
来不正常的化学指标，很可能代表着身体在不同应变措施下的状态。
只有彻底明白人体透支体力时采用的各种不同能源调度方法，才能正
确解读身体检查时所测出来不正常指标的真正意义。

　　古时候中医诊断所用的阴、阳、虚、实等名词，用在描述人体的
整体状态时，就是对人体这种能源调度的描述。例如"阴"代表储存

的能源，"阳"代表日常生产的血气能量，"阳虚"就代表日常生产的能源不足，也就是中医所说的血气不足，"阴虚"则说明储存的能源正在透支。

另外，"血气"代表日常产生的能源，透支的能源则称之为"火"。"阴虚火重"则说明人体正在大量透支储存的能源，"阴阳两虚"则说明日常能源生产不足，而储存的能源也快用完了，也就是"血气"不足而"火"也快用尽了，身体必须想办法使用第三种特殊的能源，来供应透支所需的能量。"气血枯竭"就是"血气"和"火"全部消耗殆尽。用这样的方法来解读中医的术语，就非常具体，也不再有任何"玄"的感觉了。

所谓能源的调度，就像公司里的财务调度一样，当财务好时，公司的门面和内部装潢都会随时维持在最佳的状态，各项业务机能也都运行良好。但是当财务发生问题时，必定会紧缩财务的支出，选择不重要的部门，逐一减少资金的消耗。财务进一步恶化，则必须开始变卖公司的资产。

人体也一样，当血气不足时，就会选择比较不重要的机能，逐一减少资源的供应，这时人体就会出现许多变化。例如，当废物清除系统的能量供应被削减时，人体的外表会愈来愈黑，皮下的垃圾也会愈

许多大量透支体力的人，忙碌
的时候长期不生病，一停下来
休息就生病。

来愈多，有些人表面上的斑点逐渐增加，还有些人会愈来愈胖，这和
公司的门面愈来愈旧是一样的。

削减脾脏的供血时，人体的诊断维修系统就暂时减少工作，只对
严重疾病作出反应，对较轻微的疾病不再做出反应。许多大量透支体
力的人，忙碌的时候长期不生病，一停下来休息就生病。就是休息使
血气上升了以后，脾脏的供血增加，就有能力生病了。中国人有一句
俗语"小病不断，大病不患；从来不生病，一病就要命"，就是这个
道理。

削减肝脏的供血，就会造成血液清洗的频率减少，血液愈来愈
脏，体检时的各种指数也愈来愈差。牙龈和嘴唇的颜色就慢慢地变黑
了，肝里的血慢慢地减少，肝也就慢慢地硬化了。

削减肾脏的供血，送进肾脏过滤的血液减少了，小便的颜色就慢
慢地愈来愈清淡，最终完全像水一样，就变成尿毒症。多数尿毒症的
病人，肾脏可能根本就没有问题，只不过血液总量太少，没有足够的
血液分配给肾脏使用而已。

削减肺脏的供血，使人体脏器的供水系统发生障碍，脸色就愈来
愈黑，而且愈来愈干而灰，人也愈来愈瘦。

当身体不再有可以削减的供血时，只好开始把肌肉组织改变为能

几乎所有慢性病都可以从资源
管理系统的观点找到新的病
理，进而发展出有效的治疗或
调养方法。

量，供人体使用，这时就出现糖尿病。这种病人一段时间之后最明显
的症状就是肌肉都流失了，这就和公司变卖资产换取流动资金一样。

由于现代人改变了传统的生活习惯以及不当的疾病处理方式，使
得人体的能量供应系统出现了问题，人体长期处于透支体力状态之
下，能量日渐减少，资源管理系统不断的应变，就产生了现代各种可
怕的慢性病。

例如，甲状腺亢进是中医所说"阴虚火重"的典型症状，也就是
长期大量透支体力的结果；糖尿病则是中医所说"阴阳两虚"时的症
状，也就是人体的血气和火都已经快用光了，人体开始将肌肉转化为
糖分，代替不足的蛋白作为代用能源。几乎所有慢性病都可以从资源
管理系统的观点找到新的病理，进而发展出有效的治疗或调养方法。

好的中医师可以从这些能源调度的现象对患者的血气能量水平作
出正确的判断。对于人体能量状态的观察和描述是中医诊断中第一个
也是最重要的手段和过程。虽然传统的中医书上没有提过这个"资源
管理系统"，但是在实际的中医概念中，这是人体最重要的一个系
统。

当人体经过调养后，血气会逐渐上升，原来减少供血的脏器会慢
慢增加供血，这时人体反而会出现许多疾病的症状。

例如，新增的血液重新进入久已缺血的肌肉组织，会使人产生全身酸痛的感觉；新增的血液进入肺脏驱赶长期驻留在肺中的寒气时，就会产生感冒的症状；新增的血液进入肝脏进行清理工作时，就会出现肝热和小便发黄等和肝病类似的症状，血液中的血脂和各种垃圾也会由于肝脏开始进行大扫除而大幅度提高；新增的血液进入肾脏就会出现小便混浊并且产生蛋白尿的症状……

　　这些疾病的症状和人体能力不足时所发生的症状非常类似，不是很高明的中医师是很难分辨出来的，西医则将之全部视为疾病。由于这些疾病的症状是人体进行大扫除的产物，因此，正确的治疗应该是帮助人体加快其过程。但是今天西方医学认为这些症状是人体发生故障所致，因此治疗手段的出发点多数都是纠正人体的错误，结果多数的治疗手段都是直接中断人体的大扫除动作，回到原来血气下降的趋势，人体没有多余的能量进行大扫除，这些症状也就迅速消失，各种检查数据回到了正常范围，就算痊愈了。

　　这种只治结果，不论原因的治疗方法，就像受了潮的墙，不去把漏水的地方解决，只在外面涂上新漆，看起来很好就像修好了一样。是一种"粉饰太平"的治疗方法，不但对人体没有一点好处，反而经常对人体造成更大的伤害。

所有伤口修复、组织再生的工作全部都是身体自己做的。

诊断维修系统

多数人都曾经在手脚上受过伤，受伤时医生所能做的就是用各种红药水、消毒水、消炎粉涂抹伤口，甚至打破伤风预防针等手段。这些手段都不过是为了防止伤口细菌感染而已。所有伤口修复、组织再生的工作全部都是身体自己做的。在体表上的伤口如此，体内的脏器也必然如此。

这些人体所做的工作，在我们眼里看来好像是天经地义，毫不为奇，深入想想这实在是一件非常复杂的工作。

首先人体必需诊断损伤的位置以及严重程度，再采取正确的措施，让坏死的组织慢慢结成硬痂，覆盖在伤口上，达到保护伤口的作用，接着在痂下方再生出新的组织，所有组织必须和原有周边的组织完全密合。

整个过程极为复杂，会消耗大量的血气能量，整个维修工作的进行，显现了极高的智慧和完美的工艺。

当人体血气能量处于正常状态时，这些维修工作都会正常地进行着，但是当血气能力不足时，则身体会视自身资源的能力，选择性地

中医最大的特色，在于非常注
重人体的自我修复能力。

执行部分维修工作，对于不会立即危害人体的损伤，甚至将之搁置暂
时不执行维修的工作。

中医最大的特色，在于非常注重人体的自我修复能力，并且主要
的治疗手段都在透过提升人体的能量，或排除人体维修系统无法正常
运行的障碍，来提高人体的维修能力。

就像体表伤口的修复一样，在伤口修复的过程中，伤口会出现红
肿、化脓、结痂等现象，体内的脏器修复时，也会出现许多症状，如
腹痛、咳嗽、多痰、疲倦感等各种各样的症状。

中医和西医的区别，在于中医面对这些症状时，首先认为身体是
具有极高智慧的机体，不太容易出错，这些不正常现象的出现必定有
它的道理，通常会认定是某一个脏器的能力不足，或者身体正在进行
着某种维修工作。因此，治疗的方法并不是纠正人体的错误，中止这
些症状，而是协助人体完成它该完成的工作。

西医则认为这些症状的出现，必定是身体出错了，而且直观地认
为就是出现症状的部位发生故障了，治疗的方法就是中止这些症状。

中医有许多治疗经络的手段是
在借助外力协助人体进行垃圾
的清理。

废物清理系统

人体每一个部位，甚至每一个细胞，都不断地进行新陈代谢，会不停地排出废物，人体的经络系统则不断地进行废物的运输。当脏器的能力减低，或人体的能量供应系统发生问题时，造成脏器和其相应的经络之间的互相影响。出了问题的脏器，造成其相应的经络堵塞，堵塞的经络又进一步恶化脏器的疾病，形成恶性循环。

在每一个人年轻时，血气能力旺盛，身体的废物清理系统正常运行，多数人脸上没有多余的斑点、赘肉和皱纹。随着年龄的增长，血气能量日渐衰弱，脸上及身体的赘肉愈来愈多，皮肤上的斑点也愈来愈多。

中医有许多治疗经络的手段是在借助外力协助人体进行垃圾的清理，例如穴位按摩和针灸治疗等，都有这种效果。只要身体上的垃圾能够及时清理，就能使身上的赘肉、斑点和皱纹减到最少，加上充足的血气，就可以长葆年轻和健康。

从硬件上看，人体的废物清理系统包括肝和肾从事血液过滤工作、肺脏的废气排放、大肠的排泄、皮肤的排汗和排热等。除了这些之外，心脏、脾脏和经络、血管则担负了运输的工作，几乎大多数的脏器都参与了这件工作。

周边功能系统

即四肢五官、皮肤、生殖器官等和外界接触的部位。从中医的观点，四肢五官是各种症状显现的部位，所有疾病都应归之于五脏六腑，正如计算机周边的输出入接口装置发生问题时，通常都是主机内部出了问题一样。

多数疾病出现的症状都是从这些周边功能系统开始，其实这些症状的原因多数在内脏中，外表的症状只是疾病的结果，许多医生都把注意力集中在症状的消除。不把原因找到，就算一时消除了症状，过一段时间，还是会复发的。

网络系统

人体的机能远比计算机复杂得多，其网络所需传递的不单只有信息，还要担负能量、资源补给和输送、废物输送、防卫信息等。因此，在这个系统方块图中，将之分成几个不同的网络系统。

人体经络系统不但具有传递讯
息的机能，更有运送物质的能
力。

经络系统

　　经络系统是中医数千年前就发现的人体网络系统，但是长期以来从解剖学中一直找不到经络存在的证据，直到 1998 年中国大陆的一个科研小组经过多年的努力，才在物理实验室中找到经络存在的证据。

　　这个小组发现经络本身具有光纤维的物理特性，同时也发现经络附近的毛细血管呈现平行的状态，经现代流体力学的模型分析，发现其中存在延着经络方向运行的体液流场。这就能够对中医所说的药物循着经络方向流动的现象做出合理的科学解释。也就是人体经络系统不但具有传递讯息的机能，更有运送物质的能力。

　　经络系统不像人体其它的几个网络，拥有特定的管线结构，而是一个遍布全身由多种不同物质所构成的绵密网络。

　　这个网络系统的存在才刚被证实，在接下来的这个世纪，随着研究工作的继续发展，相信会发现这个网络的更多机能。下一节会单独就这个系统做更详细的介绍。

　　接下来的几个系统是传统现代医学概念中经常提到的，因此只做简单的说明。

血管系统

这是人体能量供应系统和废物清理系统输送的信道。

神经系统

这是大脑和人体各个脏器之间沟通的系统。大脑透过这个系统，收集外界的各种信息，也透过这个系统指挥人体做各种工作。

淋巴系统

这是一个人体的防卫网络系统，负责侦测各种疾病的入侵，也负责指挥白血球到每一个需要的部位。

用这个方式重新定义的人体系统，包含了硬件、软件和网络的结构，比较合理地说明人体是一个完全独立的系统，同时也更能说明各种慢性病成病的原因。

经络学说是从治疗经验中发展
出来的，是中医最重要的一部
分。

什么是经络

"经络"是中医用了几千年的名词，中国人数千年前就发现某些
人生病时身体会出现红色发烫的线条，按摩那些线条可以治疗疾病。
那种人一般称之为经络人，只有很少人有这种情形。因此，可以说经
络学说是从治疗经验中发展出来的，是中医最重要的一部分。

我国在汉朝时曾经处决一个名为王孙庆的叛党头目，将其进行活
体解剖，然后将细竹片放入血脉中，观察其流动。结果发现人体的血
脉（血管）和医典中的经络不相吻合，无法合理地解释经络系统的存
在。这次的活体解剖，就经络学来说是一次失败的实验。因此，在中
国的医学领域中，从此就放弃了解剖人体，解剖学在中国成为验尸官
所必须了解的知识，而不是医生所必须学习的功课。

后来西方的解剖学传入中国，中国的医生在解剖中找不到经络，
加上当时的中国国力薄弱，整个社会正进行全盘西化的改造，西方的
所有科学都被中国人认为是先进的象征，中国人的自信心完全丧失。
对中医的态度也一样，特别是西医对一些致命传染病的明确疗效，更
让人们对中医失去了信心，甚至一度认为中医是一种没有根据的玄
学，在汪精卫主政的南京伪政权，还曾经考虑立法废除中医。

20世纪60年代，朝鲜有一个名为金凤汉的科学家，宣称找到了经络，并将之命名为"凤汉管"，这个发现轰动了全球医学界，也引发了各国对经络研究的兴趣。日本随即组织了大批的科学家进行经络的研究，扬言在15年内解开经络之谜。当然视中医为祖先遗产的中国，也很紧张地组织了大批的科学家到朝鲜去实地学习，并加紧研究，生怕这个祖先遗产的谜由其他国家先解开来。接下来的几年，全球科学家不断要求朝鲜公布研究成果，朝鲜却始终拿不出具体的证据，最终据说金凤汉由于拿不出具体的证据而跳楼自杀，这件事就不了了之。

　　这个事件使得从事这项研究的科学家们非常尴尬，许多人放弃了研究，更有偏激的人根本否定了经络的存在，经络几乎成为迷信的一部分。一直到1970年，美国总统尼克松访问中国，中国政府在北京向美国代表团实体演示针刺麻醉下的开心手术，那种血淋淋的神奇场面，使得参观的美国专家们惊得目瞪口呆。但是此时的中国医界，分成了两派，一派人认为没有经络只有穴位，否则不能解释针刺麻醉的现象。另一派人还是坚持经络的存在，但是提不出具体的证据，这些讨论也就愈来愈低调。

　　20世纪90年代初期，中国政府高层认为经络是中国的文化遗产，必须投入资源加以研究，可是当时主导科学研究工作的多数专家都反对，只有复旦大学的费伦教授认为经络存在了几千年，虽然我们至今没有找到具体的证据，但是也有可能是我们过去使用的方法不对，或科技能力不足，今日科学进步了，也许有新的方法可以找到经络的证据。因此，力排众议，该项目以 13：1 的投票比数差点被否决。由于反对的声浪太大，因此，这项研究仅拨了很少的经费，由费伦教授成立项目进行研究。

由于费教授是一个精于分子物理学的化学家，不是一个医生，因此对这项研究采取和过去完全不同的方法。首先放弃传统上成立正式组织的方式，采用一种名为"虚拟组织"的新式组织，项目中没有全职的研究人员，完全视研究需要机动地调集上海各种相关科学家及设备，花了近 10 年时间，终于找到了几项经络存在的具体证据。

这个研究首先认为解剖学已经如此发达的今天，一定不会有任何未发现的线状或管状组织，因此，将寻找的目标放在经络附近的组织分析，由于现代生物分子学进步，可以使用的工具和方法远较 20 年前进步得多，加上这个小组的成员不再以医界专家为主，而以化学家、物理学家、数学家等基础科学的专家为主，从物质最基本的规律做起，因此成功的机会特别大。

在这个研究之前，天津有一个小组在经络研究方面，曾经发现当针刺入穴位时，会使穴位周围产生大量的钙离子。那份报告并没有说明这些钙从哪里来，从常识判断人体的钙主要在骨头中，但是骨头里的钙不可能在针刺的瞬间释放出来。因此，判断在人体的穴位附近应该存在着可以随时释放钙离子的钙库。找到这个钙库应该可以找到部分穴位的物质存在证据。

　　小组首先在活人身上对穴位进行三度空间定位，并在磁共振(MRI)设备下观察针刺时的实际落点。同时准备一条离体的人腿，同步进行解剖。中医的穴位依照不同的深度分为天、人、地三层，针灸时，到了每一层会有针感，患者感觉到酸、胀、麻，而施术的医生则有粘针的感觉。因此，只有在活人身上才能定位，这个实验瞄准的是腿上胃经的地层。经过穴位定位并同步在离体的人腿上进行解剖，发现小腿上的胃经所有穴位的地层均停针于腓骨和胫骨之间的骨间膜上，这是一种结缔组织，以往对它的了解仅止于是人体组织之间的连结功能。

　　于是小组将该片骨间膜割下来，送到物理实验室，用质子加速器进行分析，发现有七种元素"钙（Ca）、磷（P）、钾（K）、铁（Fe）、锌（Zn）、锰（Mn）、铬（Cr）"等，在穴位和非穴位上的含量有 40~200 倍之间的明显差异，而一个穴位的直径约 5~8 毫米，所有这些富集的众多分子都只存在于骨间膜的表层，约一个微米的厚度。这是非常令人振奋的成果，是中国第一次发现经络存在的最具体物质证据，从此没有人可以怀疑经络和穴位是虚无飘渺的了。

接着小组继续对这片骨间膜的结构进行分析，发现它是由三条胶原纤维构成纤维条，再由五条纤维条卷成一束，数量繁多的这种线束结成片状，有点像计算机中的排线结构。再对这种胶原纤维进行分子层次的分析，发现它是由数种不同蛋白质分子构成的一种生物液晶态 (Bio–Liquid Crystal) 的物质。

根据物理学的常识，晶体结构的物质对声、光、电、热、磁等物理能量都具有一些特殊的性质。参考上海交通大学过去对特异功能人士的实验，知道气功师所发出的"功"当中，有很大的成分是发射出特定波长 (15.5μm) 的远红外光。因此，小组对结缔组织的物理特性测试，首先就从远红外光的透光性做起。很快的又得到了令人振奋的结果，实验证明胶原纤维在径向对 9~20 微米的远红外线具有近百分之百 的透光率，横向方面则几乎完全不透光，也就是说对于该频率范围而言，胶原纤维具有光纤维的物理特性。

接着再从国外医学研究文献中了解，人体的所有组织，甚至小到个别的单一细胞，都至少有两根胶原纤维连结着，它很可能是人体内

简单的事情考虑得很复杂，可发现新的领域；复杂的现象看得很简单，可发现新定律。

部的信息高速公路。而人体各个脏器外部的保护膜，也是一片密密麻麻的光纤维。中医经络分为经脉和络脉，其中经脉是主干，在一般的中医经络图中主要画的就是经脉。络脉是经脉的分支，几乎遍布全身和研究的结果相吻合。

这项研究的论文，1998年3月第一次发表在中国大陆的《科学通报》上，接着在2000年应邀在世界卫生组织的"传统医学研讨会"中发表，也在2001年"两岸中医药研讨会"中发表。虽然这些报告受到相当程度的重视，但是这项研究最终将造成的影响必定远不止如此。

这项经络物质证据，只是针对经络天、人、地三个层级中的地层所做的一小部分研究，除了这项证据之外，经络和穴位必定存在着其它的现象。上海复旦大学研究团队中的丁光宏博士所带领的小组，随后又发现人体的毛细血管多数呈不规则状，唯独在穴位点附近的毛细血管呈规则的并行线状，而且平行于经络。经过流体力学的计算，发现只要在相邻的穴位间有一定的压力差，在人体的经络中就会形成管线外毛细血管间的组织液流场。这有点像海洋中的洋流，没有管子，但有水流。这也很像在"黄帝内经"中所描述的荣卫之气的卫气，荣气是血管中的血液，这里发现的管外流场，很可能就是卫气。这项研究仍在继续进行中，受限于目前设备的极限，仍很难在活体中直接观察到这个现象，而在死体上血压消失后经络根本就不再活动，也就无从看到这个现象，需要了解活体的细微变化，是经络研究中最大的困难。

这些经络附近的特异现象，可以说明人体的经络不是一个古代中国人所发现的抽象系统。随着科技的不断进步，将逐渐出现更多经络存在的证据。例如，在"天"和"人"两层必定也有其它经络存在的证据，还有待科学家们继续研究发现。

生物进化的过程，最早是从单细胞生物开始逐渐发展的，在早期简单的生物中，许多生物并没有大脑，却具有结缔组织（研究团队最早发现的经络组织），大脑是很高级的生物才具备的器官。从这个现象看来，主宰人体脏器运行的并不一定是大脑，更有可能是由经络系统直接调节和控制的。

用现代的计算机术语来说，人体很可能不是单一计算机控制的系统，而是多个计算机加上一个高速的通讯网络所建构的，大脑应该是类似企业内部网络中总裁（CEO）的终端机。这也说明我们祖先对人体五脏六腑的定义中，包括了心、肝、脾、肺、肾（五脏），和小肠、胆、胃、大肠、膀胱、三焦（六腑），独独漏了"脑"的可能原因。

人体的五脏六腑更像是企业网络系统中的服务器，而操控和维护服务器运行的系统，则很可能是我们短时间还无法证实其存在的软件系统。

　　现代医学是建构在解剖学基础上的，经络系统在过去发展解剖学的年代中，限于科技能力而无法看到，直到20世纪末人类的科技能力才刚发现部分经络的证据。如果真如我们所推测的"经络是人体内部的信息高速公路"，那么原来的解剖学很可能漏掉了人体最重要的部分。这就像观察一棵树没看到树干只看到树叶一样；也像解剖计算机时，只看到部分的硬件就以为那是计算机的全部，没想到还有软件的存在，更不知有网络这样的怪物一样。

　　今日中医的没落，很大的原因是现代中医的教学，一进学校就先教了这种一知半解的解剖学，使得这些初学的准医生们脑子里就架了一个没有经络的人体结构，再开始教经络和穴位，当然满脑子充满疑问，如何学得懂中医呢？

　　随着经络物质证据的出现，在可预见的未来必定对整体医学界造成很大的影响，原有的解剖学必须跟着调整，当然以解剖学为基础的整个现代医学也必定会跟着发生变化。

多数慢性病，是我们错用了身体的结果。我们需要的，不是灵丹妙药，而是一本正确的人体使用手册。

右图是人体右小腿胆经、胃经穴位富集区的扫描示意，下一页（P42）上图为胆经，下图（P42）为胃经的钙分布图。图中显现穴位和非穴位的钙元素含量有非常大的差异。（取材自中国大陆《科学通报》1998年3月号，费伦教授等作者的"经络物质基础及其功能性特征的实验探索和研究展望"一文）

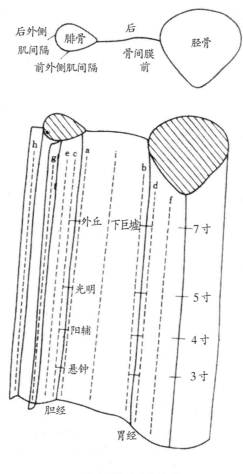

后外侧肌间隔　腓骨　后　骨间膜　前　胫骨
前外侧肌间隔

外丘　下巨墟　7寸

光明　5寸

阳辅　4寸

悬钟　3寸

胆经　胃经

Ca 在经络上的分布图

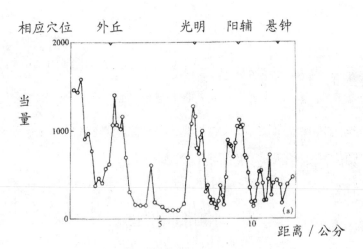

胆经钙分布图

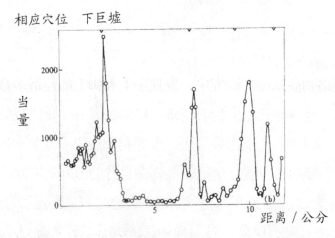

胃经钙分布图

人体的硬件结构

在第一章我们从人体功能的观点，绘制了一张人体系统的方块图，这个方块图的各个方块所代表的是包含硬件、软件和网络的功能，和我们传统所知道的人体的硬件有很大的差别。这一章我们将从人体的硬件来说明人体的结构。

人体的十一个脏器各有一条相对应的经络，加上心包经，也就是心脏和心脏外层的保护膜之间，称之为心包，其相应的经络称之为心包经。再加上人体躯干前侧的任脉和后侧的督脉，一共有十四条主要的经络。其中彼此之间有错综复杂的关系。例如每一个脏都相对应于一个腑，心脏对应着小肠；肝脏对应着胆囊；脾脏对应着胃；肺脏对应着大肠；肾脏对应着膀胱；三焦则对应着心包。

从经络物质基础的研究中，发现手上和脚上的经络多数在骨间膜上，而脏的经络和其相应腑的经络通常都在同一片骨间膜的两面，所以这两个脏腑之间的变化会形成一致的病理现象。五脏对应着五腑，另外的三焦经则对应着心包经，也是在手臂的内外侧之间对应着。这种现象中国的医生在几千年前就明白了，称之为"脏腑互为表里"。

而这种对应的现象，对不懂中医的人而言，则是认为毫无根据

在五行关系中，讲究的是平
衡，如果五脏中的任何一个
脏器的能力较其它脏器强或
弱，就会破坏这种平衡。

的。例如，中医认为寒气会入大肠经，从西医看来，受寒是肺的疾
病，和大肠怎么可能相关，一个是呼吸系统，一个是消化系统。两者
在解剖中根本就是不相通的两个器官。从经络来看，就会发现大肠经
和肺经始终都是非常紧密相邻的。

除了脏腑对应的关系之外，脏器之间还存在着相生相克的密切关
系，古人将之以五行理论整理后，再依各个脏器的特性予以对应到五
行之中就得出了：心属火、肝属木、脾属土、肺属金、肾属水。

在五行关系中，讲究的是平衡，如果五脏中的任何一个脏器的能
力较其它脏器强或弱，就会破坏这种平衡。如心火太旺的症状，有可
能是心脏自己的原因引起的，例如夏天天气热，这个季节自然容易产
生心火太旺的症状，但是冬天肾气不足时，水克不住火，也会造成心
火太旺的症状；春天肝气上升时，也会因为木生火而造成心火跟着也
旺的症状。

这种脏腑之间的五行关系非常复杂，一个好的中医师需要花费数
年甚至数十年以上的经验累积，才能完全掌握。掌握了这种五行变化
的医生，可以非常准确地判断疾病根源，而有手到病除的功力。

例如，我们常见的腿部外侧不明原因的发麻和疼痛，通常被西医
诊断为骨刺压迫神经造成的坐骨神经痛，仔细观察疼痛的部位，其实

痛的是胆经，是因为身体寒气重，经常引发肺热引起的。肺属金，胆属木，金克木。肺的问题压制了胆的功能，有时肺热特别严重，就会造成胆经疼痛，这时只要在手部外侧肺经的**尺泽穴**（图三）压住不动一分钟，泄除了肺热，疼痛立即消失，真是手到病除。

但是这只是治标而已，这种患者多数都伴随着胆功能方面的疾病，严重的甚至割除了胆囊。因此，只有彻底清除了肺的寒气，才有机会使胆的功能不再受肺的影响，胆经的疼痛（即是大腿外侧坐骨神经痛）才能永远不再发生。

虽然这种五行的理论不容易掌握，本书会在后续的章节中将常用的几种五行规律做比较详细的介绍。即使没有这种手到病除的功夫，只要能依照本书所提供的调养方法，慢慢调整生活习惯，也就能使血气能量上升，让人体的诊断维修系统发挥作用，消除这种疼痛，差别只是需要忍受稍长时间的皮肉痛而已。因此，读者不用担心学不会那些难懂的金、木、水、火、土，有兴趣就学，没兴趣就不用学，不会因此就学不会正确使用人体的方法。

虽然每个人的血气水平都不一样，但是人体在不同的血气水平，五脏六腑都会形成平衡的状态，身体才不会有不舒服的生病症状。通常出现了不舒服的症状时，就是脏器之间失去了平衡，这时中医的治

很多人身体力行地奉行本书中
的一式三招及健康观念，健康
真的就这么得到了。

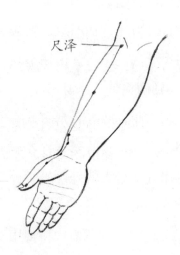

尺泽，属肺经，在肘部
掌侧面。

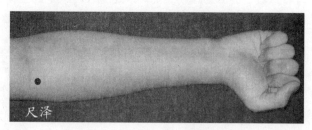

图三　尺泽穴

多数不明原因的疼痛可能都是经络痛。

疗目标，就是消除这种不平衡。

这里顺便一提的是，人体是一个充满智能的机体，前面例子中的胆经痛就是最好的例证。这种发生在四肢上的疼痛，通常是用来通知大脑人体生病的讯号。

多数不明原因的疼痛可能都是经络痛，当人体脏器的能力不足时经络才会痛，多数时候必须触压才会有痛感，到了问题很严重时，才会不碰也痛。因此当发生不明原因的疼痛时，应先找一份经络图，仔细分辨疼痛的位置是哪一条经络，直接按摩疼痛的经络，或者按摩其相生或相克的经络，多半能够缓解疼痛。

有些人很容易扭伤手脚，多数都会认为是意外的伤害，其实只有真正的严重外力才会造成扭伤，一般性的用力不当，是不容易造成扭伤的。通常被扭伤的部位会不断地重复受伤，其实主要原因并不是外力造成的，而是该经络相应的脏器早就有问题，使得经络的弹性变差，自然就容易扭伤了，这种扭伤不是偶然的意外，而是必然的结果。

人体的修复能力

现代医学认为人体有强大的修复能力，但是除了对于各种身体外

现代医学最大的问题是：低估了人体自身的智慧，高估了人类知识的能力。

伤性的修复有非常详细而且精确的研究之外，对于身体更深层器官的修复功能则认识不太多。

早期的西方医学源自于现代仍存在于西方社会的同类疗法，认定身体有非常强大的修复能力，把许多身体的症状都归因为身体正在进行修复工作，因此医生们并不随意干扰身体的运行，多数对外在变化进行简单的观察和协助。这种观念和当时的中医是非常接近的，甚至有许多方面和中医具有互补的功能。

自从细菌被发现，加上克服了大多数的瘟疫之后，讲求证据成为西方医学最重要的原则。这种把疾病视为敌人的"对抗观念"的医学理念在细菌性疾病的治疗上取得了空前的胜利，使得"对抗观念"成为整体医学的主流。

同类疗法的人体修复概念，以现有人类的有限科技能力，非常不容易从活人身上实际观察深处器官修复工作的进行，使得他们的理论无法用新的实证原则所证实，不能为新的医学界实证标准所接受，他们的方法渐渐成为另类疗法的一种，接受的人愈来愈少。这种器官自我修复的理论也就日渐式微。

现代人长期忙碌，身体的能量，光是供应每天所需都不足，根本就没有多余的能量进行器官的修复。一旦有机会休个几天假，又急急

腾不出时间睡觉的人，迟早会腾出时间来生病。

忙忙地安排旅游的行程，旅游期间也是努力地玩，生怕浪费时光。这种休假，身体并没有真的得到休息。这样的生活习惯，血气能量是长期处于下降的趋势，身体没有机会对五脏六腑进行清理和修复。

直到退休时，才开始整天无所事事，吃睡随意，血气开始回升。这时身体才有机会开始进行各个器官的清理和修复工作。当身体进行器官修复时，其化学程序必定和平时不同。例如当身体清理肝脏或肾脏时，很可能从肝脏或肾脏中排出许多废物，因而使静脉中的废物大量增加。实际的情形是当身体清理肝脏时，会使三酸酐油脂的数据急遽上升；清理肾脏时会使尿中的尿蛋白大量增加。

现代医学的仪器诊断，对于各种数值只有一组上下限标准，超过标准的就认定是不正常。因此，当身体进行脏器清理或修复时，在现代医学的诊断系统中必定被认定是生病了。

从这个事实，虽然现代医学在概念上也同意人体有自我修复的能力，但是在实际的诊断上，则是完全否定身体具有自我修复能力的可能性。否则医生在解读各种检查数据之前，必须先有其它方法判断身体处于哪一种化学程序，再选择适应哪一种程序的上下限标准，才能对疾病作出正确的判断。也就是现代医学的方法认定人体的血气能量只有下降一种趋势，没有上升的可能性。

许多人都有一种经验，就是连
续休几天假，就开始生病。

　　许多人都有一种经验，就是连续休几天假，就开始生病。原因是他原来的血气并不是很低，但是身体仍没有多余的能量从事清理或修复工作，因此，只要休息几天，血气升高了，就有清理或修复的能力，身体一开始进行这类工作，就产生不舒服的症状，在大多数人的认知里这就是生病了。因此，常常有人认为自己是劳碌命，一休息就生病。

　　血气能量的上升就是这么简单，只要多休息，尽量回归到自然的生活，血气自然能上升，并不需要修炼任何特殊的功夫和技艺，也不一定需要吃特殊的补品。

　　身体是非常复杂的设备，我曾经从事人工智能的研究工作，主要都在模拟人体的各种能力和行为。其中让我印象最深刻的是人体的感知系统，当我们闭上眼睛，旁人用手在我们身上任何一个地方按一下，我们立刻能够知道被触摸的位置，以及触摸的形式和力度。从控制工程的眼光来看，那么简单的动作，身体上需要许多密布全身用来传送位置和力量的信号传感器，当时我就明白人体的设计是极为精细紧凑的。

　　人体必须在紧凑的内部空间中传送各种营养物资，也需要把多余的废物送出去，又要传送各种感知的信息和操作肢体的信号，更要具备实际操作肢体运动的机构。当初设计时所保留的各种通道必定极为紧凑，只够身体正常运行时使用，不会预留多余的空间和容量。

当我们平时劳累，身体没有能力排泄垃圾时，这些空间闲置着，但是当血气能量上升，人体有能力排泄垃圾时，不但要排泄当天的垃圾，还要排泄前些时候搁置的多余垃圾，同时为了这些额外的工作，人体也必须输送更多的能量物资才能达成任务，这时候排泄垃圾所需经过部位的各种物资的流量可能是平时的好几倍，有时候甚至需要开辟平常不使用的紧急通道。这些超量的负荷以及平常不使用的功能，自然使身体感觉不舒服，也就成了大家认定的生病症状了。这就像假日高速公路大量的车流使其瘫痪相同的道理。

因此，当我们感觉不舒服时，应该先想自己这一阵子是不是休息得比较好，身体又在进行什么样的修复工作，而不是立刻怀疑身体是不是生病了。只要是休息多所造成的症状，多数是身体正在修复的现象，适当的处理多半不会有什么问题。

实际上身体的各种脏器的修复工作，都会造成人体的各种不同的特异症状，有些症状会让人感觉不舒服，有些则是不仔细观察不会知道的症状。例如肠胃的修复会让人感觉腹部胀气和连续几天的大便异常很不舒服，有时候也会造成胸闷和心悸；肾脏的修复则会使小便中出现许多泡泡，到医院检查会被认定为尿蛋白过多，由于没有特殊的感觉，不注意根本不会发现。

从中医的理论，人体的五脏六腑是经常保持平衡的，各个脏腑的能力和状态都不会相差太多。当一个器官有问题，其它的器官也不会好到哪里去。在身体修复过程中，身体仍然必须随时保持这种平衡。因此身体的修复工作是轮流进行的，每一个脏腑提升一点能力，就转换到另一个脏腑，一轮修完再修下一轮，只要持续保持血气能量上升的趋势，这种修复工作就会一直持续进行，直到所有问题都解决，身体再回到正常的运行。

一些长期搁置了很多问题的人，这种修复工作，开始时每一个脏腑都需要数天至一星期甚至十天的修复，然后才会转换到下一个脏腑。然后下一轮时间就会缩短一点，随着大问题一个一个被解决以及身体的能力愈来愈好，这种周期会愈来愈短，最后到一两天转一个脏腑，甚至一天转好几个脏腑。

脏腑修复的先后次序和修复的程度，身体会衡量问题的严重性和自身能量的状况进行最佳化的调配。每一个经历过这种过程的人都会非常惊讶于人体的无所不能，更仔细地观察还会发现身体的系统是以极高的智能系统化进行着每一项看似平凡的工作。

应酬的晚餐，所支付的不只是金钱还得付出宝贵的造血时间。

　　许多人在退休后一段时间，开始出现各种疾病的症状。很可能这些症状都是由于退休后的大量休息，使身体的血气能量迅速回升，启动了身体修复五脏六腑的能力和机制，是血气上升的正常现象。但是到了医院，都被当成身体发生了故障，不断地接受各种具有伤害性的检查和治疗手段，久而久之就算本来是健康的身体，也被整出病来了。如果这些人能够理解身体的能力和行为模式，正确地面对和处理每一个症状，很可能会有一个完全不同的生命结局。

第三章 人体的血气能量系统

在人体的系统方块图中，我们定义了一个能量供应系统，这就像个人计算机中的电源供给器（Power Supply）是计算机的能量供应中心一样。可惜的是目前还没有任何科学的方法可以量测人体的能量，不像用三用电表很简单就可以量测计算机的能量供应状况这么方便。

中医衡量患者血气的情况只能用多方采证的方式，从患者的外表症状，例如头发的粗细和颜色，皮肤的颜色，嘴唇和牙龈的血色，舌头的状况等各种症状，利用学理和经验来评估及判断。这种方式因为缺乏客观的数据，每个中医师的诊断都会有差异。

虽然目前没有仪器可以直接量出人体的血气能量，但是我们利用传统中医古籍所提供的数据，加上我们多年来累积的观察经验，仍然能够对人体的血气能量进行正确的判断，并将之分类，发展出一套模型。我们可以用这个模型来推断疾病发生的原因，再依这些原因拟订治疗的方案。

五个血气水平的疾病和症状

就我对中医的理解，将人体的血气能量依高低水平分为五个等级，由于古时候数字概念不是很普遍，因此用阴、阳和虚、实来表达（前面章节已解释过）。接下来我们用现代的语言说明这些区分的等

级。读者可以自己尝试将自己的情况分类，了解自己处在什么样等级
的血气能量水平。

健康水平

用中医的眼光来说，这样的人各方面都很平衡，不偏阴也不偏
阳，不偏虚也不偏实，平衡是中医追求的目标。因此这是最健康的等
级，这个等级的特征是身材匀称，脸色红润，脾气温和，作息规律。
由于人体有很强的防御力量，各种外来的疾病不容易侵入，不容易生
病。一般很少见到这样的人，也许练太极或气功有成的高人才有这样
的身体。

阳虚水平

血气低于健康水平，造成血气下降的原因很多，如睡眠太晚，或
长期营养吸收不良等。这时人体抵抗疾病的能力和疾病侵入的能力很
接近，在伯仲之间。因此有外来的疾病侵入时，人体仍有能力抵抗，
但是不像健康水平的人一样可以很快地击退疾病，会在人体的各个器

欲望是健康的最大负担。

官发生激烈的战事，因此会出现各式各样的症状。有些人由于身体经常有这种战事的现象，传统上会认为他体弱多病。一般经常感冒甚至发烧的人，或者有过敏性体质的人，都是处在这个等级里的血气水平。

阴虚水平

血气下降的趋势长期不能扭转，血气降至低于阳虚的下限后，由于人体的能量太低，诊断维修系统无法完全正常工作，疾病入侵或器官的损伤如没有立即的危险，就暂时将之搁置。这时的血气只够维持日常工作或活动的需要。一般的疾病侵入时，人体并不抵抗，疾病长驱直入。由于没有抵抗的战事，因此也没有任何不舒服的疾病症状，但是会在人体的肤色、体形及五官上留下痕迹，有经验的医生能够识别出来。

这样的人是目前工商社会的最大一群。许多人都觉得自己非常健康，有无穷的体力，每天忙到三更半夜，尽情地透支体力也不会生病，这些现象就是典型阴虚水平血气能力的症状。

这种血气水平的人，愈晚精神愈好，这是由于人体日常产生的

农村长大的人，比城市长大的
人，可以经得起更长时间的透
支。

"血气"无法支应每天的透支，只好从人体原来储存的"火"中提
取。比较通俗的说法,这一级的人并不是没有病,而是没有能力生病。

　　每个人可以在这个血气水平维持的时间长短是不同的，一方面要
取决于幼年或年轻时的生活作息是不是正常，是不是储存了足够的能
量；另一方面也取决于他平时是不是会抽空休息，补充能量。

　　农村长大的人，比城市长大的人，可以经得起更长时间的透支，
这是由于农村长大的人，在幼年时的睡眠较早，身体储存了较多的能
量。现代的孩子，比上一代都晚睡，将来可以透支的能量必定较少，
生大病的机会一定比较多也比较早。

阴阳两虚水平

　　由阴虚的状况继续消耗能量，等到储存的能量即将用尽的时候，
也就是"火"快用完了，就到了"阴阳两虚"的水平。这时人体会经
常处于疲倦的状态。这个时候人体为了取得必要的能量，会到肌肉里
或其它部位，淬取能量。

　　这时的"能量用尽"，指的是在安全库存的范围内的低水平，不
是真的完全用尽。人体的能量透支到了这个水平，会暂时停止能量的

透支，使身体出现很容易疲倦的状态，强迫人体增加休息，这是一种人体的自我保护措施。

血气枯竭水平

由阴阳两虚的血气水平再继续下降，最终降低到中医所说的"阴阳大虚"的水平，用比较白话的说法，就是"血气枯竭"。这时人体血气虚亏导致肝火旺，夜间难以入睡，越晚精神越好。这个阶段的肝火旺，所透支的能量是超过了人体安全库存下限的透支，身体已经到了山穷水尽的阶段，才会不得不透支各种可能转化的能量。这时越不睡觉，人更虚，肝火越旺，形成恶性循环。由于胆经阻塞引起胆汁不分泌，所吃食物无法转化为造血材料，营养难以吸收。

这个阶段的患者，由于连控制五脏六腑的能力都丧失，发生的都是非常严重的疾病，而且多数是目前医疗系统无能为力的。例如各种癌症、肾衰竭、中风等。由于血气枯竭，同时对五脏六腑都到了失控的地步，因此很容易演变成各个脏器在很短的期间里陆续发病的并发症现象，其实并不是第一个发病的器官拖累了其它的器官，而是各个器官同时都达到了发病的临界状态，一发不可收拾。

多数慢性病，是我们错用了身体的结果。我们需要的，不是灵丹妙药，而是一本正确的人体使用手册。

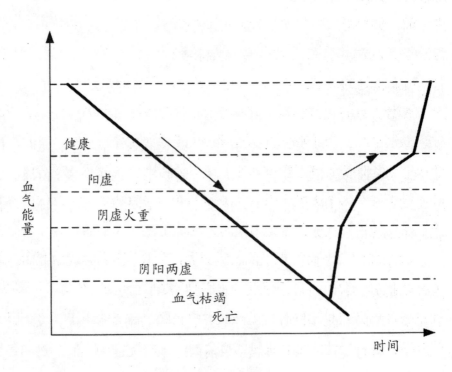

血气能量示意图

多数内脏的疾病也就是慢性病，只是不同程度低血气水平的症状。

————————————

　　附图是五个血气水平的下降和上升示意图，人体的血气下降，速度很慢，数以十年计。但是上升却很快，数以月计。在血气上升至阳虚之前，如果能每天早睡早起，加上勤敲胆经，血气将很快上升，通常一个月的调养，自身就会有体力和精神明显改善的感觉。四五个月，就有很好的效果，旁人从气色就能看出明显的差异。

　　多数人就算血气很低，在一年之内都能到达阳虚水平。当血气到了阴虚水平时，由于身体开始处理部分较严重的潜在疾病，因此上升的速度大为降低。到了阳虚水平，则开始处理更多的疾病，血气上升的速度更慢。每个人的上升速度，视每个人的疾病种类、轻重程度和生活作息的改善状况，需要不同的康复时间。

　　处于任何一个血气水平的人，只要能将血气从下降的趋势转变为上升的趋势，假以时日，血气的水平会不断上升。多数内脏的疾病也就是慢性病，只是不同程度低血气水平的症状。因此，只要提升了血气水平，各种慢性病都有康复的机会。

人体血气升降趋势的症状和疾病

　　在血气上升和下降时都会出现生病的症状，即使是相同的症状，

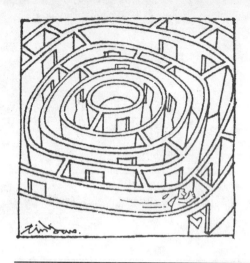

那么多的名医和秘方，需要足够的智慧，才找得到生门。

在上升和下降趋势中，却分别由完全不同的原因所造成，当然也必须采取不同的治疗方案。

阳虚的患者生病时(有不舒服的症状)，存在两种可能的情形，一是在血气下降的过程，二是血气上升的过程。

在血气下降过程中，从健康进入阳虚，这时身体的能量不足以将疾病快速击败，因此经常生病。这样的情形痊愈有两种可能，一种是努力改善生活规律，增加身体的能量，使自己回到健康水平，让身体有能力随时快速地击败疾病，这是真正的痊愈。

另外一种可能是继续过着不规律的生活，消耗血气能量，使血气下降到阴虚水平，由于身体的诊断维修系统不再全面工作，一些小毛病就不再处理，也就没有症状，虽然实际上身体更差了，但是患者会以为已经痊愈，这是假的痊愈。

在血气上升过程中，患者从原来不会生病的阴虚水平，进入很容易生病的阳虚水平。表面上看从原来不生病，到很容易生病，多数人都认为身体变差了，实际上却是血气上升，身体变好的结果。

许多人都有这样的经验，平常很忙没有时间生病。一休假，在家睡两天，就开始生病，这就是从阴虚进入阳虚的现象。开始上班以后，忙两天，血气又下降到阴虚水平，身体也就不再生病了。建议这运动会打通经络，强化心脏的功能，提高清除体内垃圾的能力，但是并不会增加人体的血气能量。

样的朋友，等工作较轻松时开始有计划的调养，找一段时间休个长假，让身体有机会把该处理的问题清理干净。

如果无论如何都找不出时间，又真的想把身体弄好，那么就狠下心，把工作辞了，在家里休息个半年。把身体里长期被搁置的疾病去除，也就是把血气调到阳虚水平，好好的生几场病。有时候调养的时间会长达好几年，多数患者都嫌时间太长。其实想想，我们几十年用下来的身体，用使用时间的十分之一调养回来，应该是很合理的。

运动不会增加能量

运动会打通经络，强化心脏的功能，提高清除体内垃圾的能力，但是并不会增加人体的血气能量。

运动对健康的影响，主要是加快血液循环的速度，可以使一些闭塞的经络因而畅通，特别是对于心包经的打通有很好的效果。心包经的通畅，可以强化心脏的能力，提升人体的免疫功能，也会加快人体的新陈代谢，加快人体废物的排除。

人体的发胖，多数是由于心包经的不通畅，导致垃圾（脂肪）的堆积，运动之所以具有减肥的效果，是由于运动有助于打通这条经络。运动需要消耗人体的能量，大量的体力消耗会使人产生疲倦感，

肝热的人，梦多，睡不沉。

进而增加睡眠的时间，改善睡眠的品质，增加了人体造血的时间，血气水平因而提高。也就是说能量提升不在运动而在运动之后的睡眠，血气不足的人，如果只是单纯的运动，完全不改善生活习惯，增加或调整睡眠的时间，则运动只是无谓的消耗血气能量而已。

现代许多繁忙的人都利用夜间进行运动，人体经过了一整天的体力消耗，到了晚上必定已经没有多余的能量可供运动。因此运动时身体必定是调动储存的肝火，加上运动的激发，精神处于亢奋状态，在夜间九十点停止运动之后，至少需要两三个小时让这种亢奋状态消除，才可能入睡。由于肝火仍旺，这一夜的睡眠必定不安稳。这种运动对身体不但没有任何益处，如果形成长期的习惯，反而会成为健康的最大杀手。多数人都以为运动可以创造能量，所以才能在运动之后精神特别好，殊不知完全是透支肝火的结果。

有一次一个哮喘患者来找我们的医生，医生看过之后，只给他口头的建议，不教他推拿的方法。我感到很奇怪，医生事后告诉我，这个患者哮喘已经很多年，最近参加早泳会后，哮喘就好了。可是观察他的血气，仍然很低。判断他的情况是原来的血气在阳虚水平，血气并不太低，因此身体经常会进行寒气的排除，因而产生哮喘。近期由于参加早泳，但是并未早睡，吸收也没有改善，因此血气更差，而下

无论在哪一个血气水平，只要
能够早早地睡觉，再敲打胆
经，就能够使血气从下降的趋
势逆转为上升趋势。

降到了较低的阴虚水平，身体不再有足够的能力驱除寒气，从原来的
经常哮喘变成了没有能力喘，症状消除，患者以为哮喘已经痊愈了。

这种情形如果医生建议他早睡早起加上经络的调理，这些措施必
定会使他的血气很快从阴虚回升到阳虚水平，这时他又会开始排除寒
气，哮喘再度发作。患者不会认为早睡早起会使他发病，一定认为是
我们的经络调理方法有问题，我们将陷入有口难辩的地步。因此，最
好的做法只能给予口头建议，建议早睡早起，让他的哮喘自己再度发
作，才好进行下一步工作。但是这样的患者，多数会认为他原来用运
动就将哮喘治好了，不会相信我们的说法，最终的结果必定是继续用
他原来的运动疗法。

从这三个血气模型，加上本书随后所介绍的方法，可以发展出一
套养生治病的方法。无论在哪一个血气水平，只要能够早早地睡觉，
再敲打胆经，就能够使血气从下降的趋势逆转为上升趋势。

只要血气上升到阳虚水平，身体的免疫系统、诊断维修系统将陆
续恢复功能，逐一的清理、治疗人体存在的问题和疾病，身体会先出
现许多各式各样的小毛病，随着这些小毛病的一一清理，身体的状况
会逐步好转，血气逐渐增加，只要血气长期是朝上走的趋势，健康就
只是一个时间问题而已。

血气包含人体的许多物质，其
中血液是人体能量最重要的代
表。

血气能量的储存

"透支体力"是我们经常使用的词句，体力既然能够透支，那么就必然能够储存。

"血气"是中医用来说明人体能量的名词，但是人体内并没有任何物质称之为"血气"，根据中医的解释，血气包含人体的许多物质，其中血液是人体能量最重要的代表。血液总量和人体的血气能量成正比，人体的能量是透过血液来储存和运送。

只要每天造血的数量大于血液的消耗，那么血液总量就会愈来愈多，多余的血液就会进入人体的各个脏器。例如，肝在中医里是有藏血的功能，而人体很虚弱时，肾脏也会萎缩，所谓的肾脏萎缩，也就是肾脏中的血液量减少了。因此如果人体长期处于血液总量不断上升的状态，那么在各个脏器中都充满了血液，骨头中也充满了骨髓，这就是血气能量储备充足的状态。

反之，如果每天的造血量少于血液的消耗时，血液总量就会愈来愈少，各个脏器中储存的血液也就愈来愈少。当脾脏中的藏血减少时，人体的诊断维修系统的功能就减弱，免疫能力自然下降。当肝脏的藏血减少时，血液在肝脏中清洗的次数就减少了，血液就愈来愈

脏。当肝脏中的血液减少到很低时，部分肝脏由于长期得不到血液的
滋养，会逐渐出现萎缩或者硬化的现象。肾脏的藏血减少时，血液中
的垃圾无法透过肾脏排出去，小便的颜色逐渐变淡，最终呈现完全清
澈的状态。随着血液总量的继续减少，最终肾脏完全不再发挥作用，
就演变为尿毒症。

　　我们都有使用手机的经验，手机的电池，充电一次约两三个小
时，可以使用两三天，使用时间是充电时间的数十倍。人体血气储存
的机能也像手机电池的充电一样，只要掌握了人体造血机能的各项条
件，就能使血气能量快速上升。反之，如果长期处于透支状态的人，
其幼年时所储存的血气能量，可以支持其数十年的消耗。

　　血气能量是可以储存的，这是一个很重要的逻辑观念。用这样的
逻辑能够说明有些人长期不正常地生活，每天只睡很短的时间，而没
有立即的疾病症状，是因为他年轻时储存了较多的能量。但是，随着
能量的继续透支，未来一场大病还是免不了的。

　　人体在利用储存血气能量时，有点像大楼停电时使用的备用能源
系统。由于备用能源系统的储存量有限，而且力求能够用最长的时
间。因此在使用备用能源系统时，通常只供应最重要的部分。例如大
楼中的照明系统和消防系统等，耗电量大的空调系统则停止运行。

腾不出时间睡觉的人，迟早会腾出时间来生病。

同样的，当人体的血气不够，开始起用备用能源系统时，也仅供应必要的人体功能，消耗能量大的人体诊断维修系统就暂时停止能源的供应，当然也停止运行了。

中医将正常的能量称之为"血气"，备用能源称之为"火"。使用备用能源时，身体的主要现象是越晚精神越好，就是中医常说的"心火盛"或"肝火旺"。

由于使用备用能源时，诊断维修系统几乎停止运行，人体没有不舒服的疾病症状。许多人就误认为自己身体很好，从来不生病，可以任意透支体力。也有些人，平常忙起来不生病，一旦停下来休息，立刻浑身不舒服。就是平常都使用备用能源，休息下来，血气能量多了，诊断维修系统开始运行，人体就有不舒服的疾病症状。

有些人明明身体已经很糟了，还是不知道保养，不知道休息，认为工作上没有他不行，每天都要拖到半夜一两点才上床。等拖垮了进了医院，公司最终还是失去了他。

记得有一次在一家公司看到一幅标语"今天不努力工作，明天努力找工作"；套他的语意，也给大家一句忠告："今天不好好睡觉，明天好好睡长觉"。与其累坏了生病住医院疗养两个月，不如提前在家休息两星期来得好。这是非常简单的道理，偏偏就有很多人想不

只要早睡早起，就能有一个健康
的人生，真是再简单不过了。

通。

我们经常给患者的建议是：养生之道的根本，就是经常留一分血
气能量给自己。"早睡早起身体好"是我们从小就被再三教导的最简
单常识，只是一直没有受到大家的重视。大家也不明白晚睡晚起有什
么不好？现在有了血气能量的观念，大家应能明白只要早睡早起，就
能有一个健康的人生，真是再简单不过了。

如何观察血气的水平和趋势

谈了许多血气的观念和模型，可是如何才能知道自己血气水平的
高低呢？

虽然目前仍然没有适当的仪器很方便地测量人体的血气水平，但
是我们有几个简便的方法用在一般的诊断中。最简单的是观察嘴唇和
牙龈的颜色，这个部分会明显地反映身体内血液的颜色，而且会留下
过去一段时间血气状况的痕迹。

长期血气透支后，会使嘴唇的颜色渐渐转暗，严重的成为紫黑
色。但是当开始改善睡眠习惯之后，会从下嘴唇的内侧开始改变颜
色，逐渐由内而外，当改变至嘴唇厚度的中间部位，可以从外部看到
明显的里外颜色差异时，至少需要半年的时间。整个下嘴唇颜色全变

灵丹妙药就在身体里，却在外面不停的找。

成淡红色时，则需一年以上的调养。因此，只要从上下嘴唇的颜色差异，就能判断过去这段时间里，这个人的血气是不是处在上升的趋势，而且也能判断其调养时日的长短。

牙龈是另一个非常容易观察血气的部位，特别是一些原来血气很低的人，原来的牙龈颜色多数都很深，当开始依照本书的方法调整生活习惯之后，约两周到一个月就会在牙龈靠近牙齿的部分出现一条很细的新肉痕迹，这部分的颜色接近粉红色，和原来的深色形成强烈的对比。随着调养时间的不断加长，淡红色的部分逐渐增加，两色中间形成一条很清楚的界线，只要观察这条线的位置，就能知道这个人在过去一段时间的生活习惯或工作压力的变化。牙龈的颜色如果很淡，表示这个人睡眠的时间够长，但时辰不对或吸收不良，血气仍然不足。正常的血色应该带点血红色。

在血气增加的过程中，牙龈上的牙肉会愈长愈厚，露在外面的牙齿愈来愈短，牙肉会逐渐长到牙齿的缝隙中，这也是观察血气趋势的很好方法。相反的，如果血气不断下降，则牙龈上的牙肉会愈来愈低，也就是牙肉逐渐收缩，牙齿愈来愈长，直到把牙根都露出来，就很容易得牙周病。

所以说牙周病是血气下降的结果，改善牙周病的方法很简单，只要依照本书的方法调养一段时间，让牙肉长厚一点，牙周病就会逐渐改善了。不过提醒牙周病的朋友，在开始调养的初期，应该先找牙医把牙根上的结石去除，否则牙肉开始往上长之后，会将结石包在牙肉中，日后很容易发炎，清除包在牙肉中的结石很麻烦，需要将牙肉用手术割开才能清除。

手掌的颜色和肤质也是观察血气的重要讯息，如果脸色红润，但是掌心也很红，则是肝气上冲造成的红，这种红润不能代表这个人原来的血气，如果泄除了肝气，可能脸上的红润就完全褪光了。标准的手掌颜色应该掌心白、指尖红，这样的手掌表示这个人目前肝气不盛，脸上的红润就是真正的健康色。

刚开始调养时，手上的颜色会不断地变化，每个人变化的方式都不完全一样，必须视其起步时的状况而定。

另外手掌摸起来非常软的人，是血气很低、血中蛋白很少的人，已经有一部分的肌肉被转化为糖用掉了，当开始调养三四个月，血中蛋白质增加后，本来正常的血糖也会跟着升高，如果到医院检查时，就会出现糖尿病的症状，这时不用紧张，只要依照本书中糖尿病章节中的方法，继续调养，两三年内会自然痊愈。

手掌非常厚而且粗的人，血气必定很低，以至于手掌中堆积了许

健康检查不一定需要完全依赖
仪器，仔细地留意就能了解自
己真正的健康情形。

多垃圾，表面上的皮肤也久未换新，显然组织的再生能力也很弱。

手背上的血管也是一个重要讯息，血气很低的人，血液总量必定也不足，血管不明显，到医院打针时，不容易找到血管，有时血管的部位甚至呈凹陷状。有些血脂很高的人，血管的颜色很深，前面提到糖尿病的人，血管看起来较粗，但没有弹性。随着血气的提高，血管会愈来愈饱满，颜色也会愈来愈淡，而且愈来愈有弹性。

从血气变化在人体外表留下的各种痕迹，就能明白健康检查不一定需要完全依赖仪器，仔细地留意就能了解自己真正的健康情形。除了这些迹象之外，在身上还可以找出许多其它的症状，例如白头发的人胆功能必定不好，血气也不会好，皮肤干而且灰的人更是血气极端低落等，都可以观察到血气的水平和变化的趋势，这些就留待专业的医生们去学习了。

许多人都把体质归咎于遗传，例如，多数年轻时就有白头发的人（俗称为少年白）常常会说，这是遗传的，我父亲（或母亲）就是这样。其实白头发的形成和感冒的用药习惯有密切关系，有些人非常注重保养身体，一有感冒迹象就立刻吃药，这样的人身体上的寒气根本无从宣泄，最容易长白头发。而这样的人照顾孩子时，也必定用同样的逻辑，孩子长大了也自然很早就有白头发了。

许多所谓的"遗传"性疾病，很可能是由于一家人具有相同的生活习惯和用药习惯的结果。

第四章 寒气

寒气是现代人很少使用的名词，感冒则是每一个人所熟知的。感冒指的是打喷嚏、流鼻水、咳嗽、头痛、发烧、喉咙痛等症状。寒气则是感冒的真正病因之一。寒气在中医并不是一个很严重的病，却影响深远祸害无穷。

打喷嚏是人体的正常机能之一，主要是用来排除进入鼻腔的异物。而鼻子里的异物种类很多，只有鼻水形式的异物我们才认定是"感冒"。因此排除鼻水才是打喷嚏的主要原因之一，治疗感冒不应该阻止打喷嚏，而是必须找出造成鼻水的原因。

由于有许多不同的原因都会造成打喷嚏、流鼻水这类的症状，从中医的观点来看，对于疾病的认定并不以其症状为主，而是以其病因为主。因此，对于受寒所造成的打喷嚏、流鼻水这类的症状，就称之为风寒。由于风寒所引起的症状非常多，自古以来许多著名的中医师都对风寒极为重视，著名的汉代名医张仲景所著的医书虽然包罗各种疾病，却以"伤寒杂病"为名，就是这个原因。

用现代科技知识可能更容易说明中医对风寒的观念，"风"和"寒"是两种不同的疾病，"风"指的是"风邪"，风字最主要的内涵是个虫字，也就是有外来的病因，一如现代医学所称的细菌或病毒。古时候的中国人虽然不知道细菌的存在，但是却猜到是有某种类

"寒气"则是中医特有的词汇。

似虫的东西会对人体造成疾病，对于这类疾病虽然有些预防的方法，但并没有真正能够对治的手段。

"寒气"则是中医特有的词汇。中医所说的"气"字，有很多种不同的意义，有我们熟知的空气，也有气功师所练的无形罡气，甚至连体液也常用"气"来表示。

"寒气"指的是人体受寒时所产生的东西。从物理学的观点，热量会在所有相邻的物体之间传递，从高温的物体往低温流动。因此当人体处于低温环境时，身体的热量会不断流失，直到人体和外界温度相同为止。人体的体温下降，在医学上称之为失温，是一种会致命的危险。因此，当人体面临低温环境时，第一个防卫措施是迅速适当的降低体表的温度，缩小人体和外界的温差，降低热量流失的速度，但是人体能够下降的温度很有限。

当热量仍然迅速地流失时，人体会启动第二种防卫措施，就是利用化学的方法，燃烧某种物质，使之产生热量。这种措施必定在皮下靠近体表的部位进行，防止体内重要的器官失温。这种被燃烧的物质，通常是在体表流动的体液中的某种物质。这里所说的燃烧和我们日常所说的燃烧不完全一样，并没有真正的火焰，只是把两种不同的物质进行化学反应，使之产生热量。

人体是一个高超的化学魔术师，当受到外力造成骨头的伤害时，断裂骨头周围会因血管破裂造成内出血，这些流出的血液会围绕在断骨的周围。这时人体会分泌某种物质，把这些血液改变成骨细胞，迅速和原有的骨头结合成一体，自动修复断裂的骨骼。人体的这种修复方法，是现代医学所熟知的。

　　如果人体能够利用转化血液为骨细胞的方法修复骨骼，应该就能够利用转变物质产生热量的方法来防止热量的流失。化学上有许多方法能转变物质产生热量，最简单的例子就是燃烧碳分子产生热量。

　　$C_2 + 2O_2 \rightarrow 2CO_2 + 热量$

　　人体里到处充满了各种不同的碳水化合物（$C_xH_yO_z$），适当地改变其中碳、氢、氧的比例，或加入某种物质都可能产生热量。这种方法，会使原本正常的体液改变成为低热含量的体液，同时释放出热量，弥补因外界低温所流失的热量，减低人体失温的速度。这些被改变过的体液不再能像原来的体液一样供人体使用，而成为必须排出体外的废物。这种变质的体液很可能就是中医说了几千年的"寒气"，也就是说寒气很可能不像气功一样是一种抽象概念，而是一种具体的物质，可能是液态的，也可能是固态的。

　　由于热量会从人体的各个部位流出，寒气的物质也就可能会出

多数慢性病，是我们错用了身
体的结果。我们需要的，不是
灵丹妙药，而是一本正确的人
体使用手册。

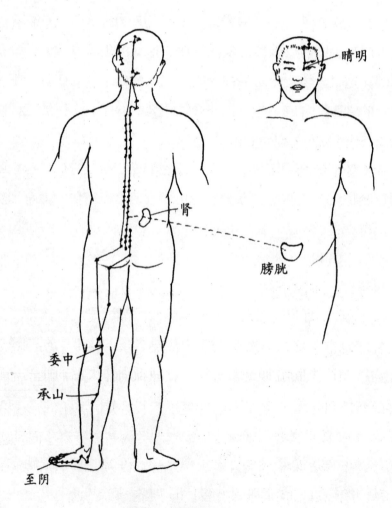

睛明

肾

膀胱

委中

承山

至阴

图五　膀胱经

现在各个不同的部位。人体针对各个不同部位寒气的处理方法都不相同，于是形成了各种不同症状的感冒。

　　例如，人体背后的寒气，会直接积存在**膀胱经**（图五）中，长期的堆积会在背后形成一层厚厚的脂肪，这些脂肪有一部分即是那些变了质的体液经过长期不断的累积而成。

　　头顶的寒气会直接堆在头顶上，通常头顶只有一层薄薄的皮肤，用手按压时应该是硬硬的感觉。但是寒气堆积得多了，会形成一层软软的物质，摸起来像有一层海绵垫似的。头顶的寒气更严重的会在前额左侧或右侧形成一个硬硬的肿包，到医院诊断时医生会认定为骨质增生，这是把寒气用固态的形式积存的物质。

　　正面的寒气，上半身会积存在**肺经和其经别**（经络的分支）（图六）中，这两组经别在人体胸前中线的两侧。正面的寒气也会积存在**胃经**（图七）中，胃经从眼部下方一直延伸到脚趾，在大腿正面是最容易积存寒气的部位。严重的胃经寒气堆积，会使大腿正面形成一层硬而厚的组织，使得大腿的伸缩发生问题，因而造成行动不便。这种疾病很少医生能够诊断出和胃有关联，经常都成为难以医治的疑难杂症，跛了数十年无论如何均难以想象是由于胃经的寒气所造成的。

　　侧面的寒气则积存在**胆经**（图八）中，只要寒气侵入人体，这个

多数慢性病，是我们错用了身
体的结果。我们需要的，不是
灵丹妙药，而是一本正确的人
体使用手册。

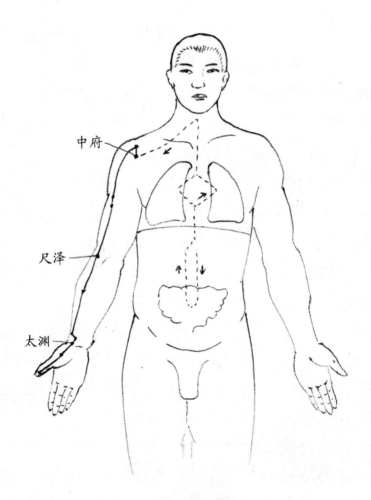

图六　肺经

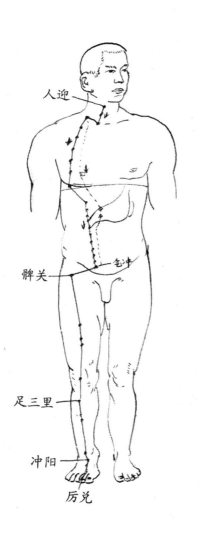

图七　胃经

很多人身体力行地奉行本书中
的一式三招及健康观念，健康
真的就这么得到了。

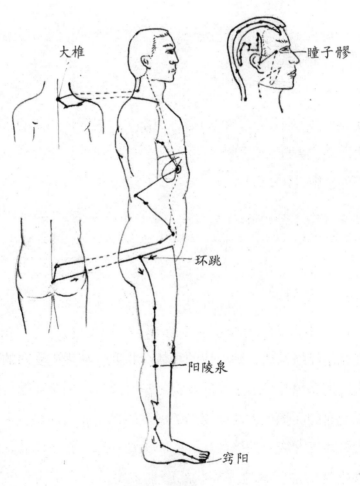

图八　胆经

敲胆经一方面能刺激胆经，强
迫其分泌胆汁；另一方面使这
些堆积的废物能够流动，进而
排出体外。

部位都无法幸免。这个部位的寒气有时会在大腿外侧形成一条条的横
纹，由于寒气的物质会阻碍经络的流通，使寒气堆积的部位附近，细
胞所产生的垃圾无法排出，寒气和垃圾累积多了就会使大腿外侧显得
特别胖。

由于这些废物不是人体的组织，因此会在组织之间流动，如果这
个人喜欢运动，大腿部位寒气和组织废物所形成的垃圾会往下流动，
转而堆积到小腿肚上，形成萝卜腿。通常男人较女人活动力大些，因
而女人多数堆在大腿外侧，男人则大多堆在小腿肚上。这种现象即是
本书前面所说寒气所造成胆经阻塞的原始原因，也就是胆经的寒气堆
积造成胆功能受阻，再造成吸收的障碍。敲胆经一方面能刺激胆经，强
迫其分泌胆汁；另一方面使这些堆积的废物能够流动，进而排出体外。

寒气从人体的皮肤进入身体之后，如果所承受的寒气分量不多，
同时血气充足经络畅通，则很快的身体会将寒气从表皮受寒的部位运
送到排泄通道，鼻腔是最主要的通道之一，透过一两个喷嚏就排出体
外。如果受寒的面积很大，或周围的温度很低，流失的热量很多，身
体产生大量寒气（变质的体液），一时无法将寒气排出体外，很可能
就会出现生病的症状，这些症状的产生主要是身体排泄寒气时的现
象。这时身体必须耗费大量的能量来驱除寒气，因而使人体呈现非常

虚弱的状态。这时最好的应对方法是多休息，把所有的能量留给身体用来驱除寒气。

鼻腔是寒气最常见的出口，当少量的寒气到达鼻腔时，立即造成鼻塞；分量增多时，即出现打喷嚏的症状；分量再增加时，则出现流鼻水的症状，这时的鼻水多数是略低于体温，感觉凉凉的。通常开始流鼻水就是排除寒气的尾声，鼻水流完感冒也就好了。

中医古书里说，寒气先堆积在皮下的经络理，也就是书中所说的"腠理"，时间久了会转移到相应的"腑"中，例如常见的"胃寒"即是这样形成的，当这种现象产生时，用手摸胃部，可以直接感觉其温度特别低，有时会和肚脐的温差大到6~7℃。

寒气在身体中更久，或更大量的寒气侵入时，会逐渐转移到肺脏，形成中医所说的肺虚现象，所谓肺虚就是肺的寒气太多导致肺功能逐渐减低。在人体中，肺脏除了担负我们所熟知的呼吸功能之外，还是身体分布水分到各个部位的主要机构。当寒气侵入肺脏时，肺脏的能力即随之下降，身体吸收及处理水分的能力也就跟着下降。这时大多数的水分一进入人体即排出体外，感觉一喝水就想上厕所，小便也多数呈现清澈无味。由于水分吸收的障碍，使得人体组织里的水分比例愈来愈少，外表愈来愈瘦，同时皮肤上的光泽也日渐减少，并且愈来愈黑。通常中医的望诊，黑而无光泽的脸色即是肺气虚弱的表象。随着肺气的逐渐虚弱，情绪上也会愈来愈悲观，很容易就会有忍不住想哭的感觉，就像中医书上所说的"肺主悲"。

严格地说，寒气侵入人体时，人体只有外表缓慢的变化，并没有不舒服的症状或感觉，多数不舒服的感觉来自寒气排除的过程。存在身体不同部位的寒气排出时，症状都不一样，当然应变的对策也就不同。因此，明白了寒气的原因之后，最重要的就是要学会正确的处理寒气排出的症状。

寒气的排除

许多人感冒时，常常会出现身体发冷的症状，寒冷的感觉像是来自身体的深处，盖再多的棉被也没有用。显然这时身体的某些部位是处于低温的状态，但是这种状态并不会持续很久，通常都是过一会儿就不再冷了。

前面提过身体面对寒气侵入时，会产生某种化学反应，使体液中的化学成分发生变化，释放热量来防止身体失温。这些被改变的物质也就是寒气，如果它没有被排出去就会长期存在身体里。当身体状况改善有了足够的能量之后，身体会再利用相反的化学手段，将含有寒

必须先养足了血气，使身体具
备了足够的能量，自己发动驱
赶寒气的战争，寒气才有可能
被排出。

气的物质还原。由于当初改变物质时释放了热量，这时再把物质改变
回来，自然会从周围吸收大量的热量，使得其周围组织或体液的温度
下降。身体再将这些低温的体液或废气排出去，就把寒气带了出去。
因此，这时会感觉寒冷来自体内，鼻尖摸起来也是冰冰的感觉，似乎
和鼻尖相连的一连串组织的温度都变低了。打喷嚏或咳嗽时所呼出的
气体或感冒所流出的鼻水都呈现低温的状态，不像平时打哈欠时呼出
的都是热气。

　　从这样的推论，显然感冒症状的出现并不是由于身体变弱了，相
反的却是身体由弱转强时才会出现的症状。许多从来不感冒的人，并
不是身体真的很强健，反而是身体根本没有能力排除任何寒气，才没
有任何不舒服的症状产生。许多脸色黑而干，明显肺虚症状的人，都
是很多年没有感冒的经验，这种人从外表的症状显现出身上的寒气很
重，却没有能力排除。

　　这种没有能力排除寒气的人，使用任何药物都无法将经络中或深
藏肺脏的寒气排出。必须先养足了血气，使身体具备了足够的能量，
自己发动驱赶寒气的战争，寒气才有可能被排出。在这过程中，人类
有限的医疗技术只能在最后当人体开始排泄寒气时，加上很小部分的
助力。

因此，无论是哪一种寒气，对付寒气的方法，都必须回归到前面
所说的养成良好的生活习惯提升血气，正确地处理每一个疾病的症
状，没有什么快捷方式，更没有什么仙丹妙药。

寒气的正确处理方法

感冒的症状有很多种，大致上包括打喷嚏、流鼻水、咳嗽、头
痛、全身酸软或酸痛、发烧、喉咙痛等。人体不同深度或部位排出的
寒气，会形成不同的症状。因此，大致上可以就症状和寒气的原因分
为身体背后经络寒气、身体前面经络寒气的排出和肺脏寒气的排出三
大类。

身体背后的经络主要是膀胱经，由于膀胱经所在的背部面积很
大，而且在人体最容易受寒的部位，因此许多人都有大量寒气存在这
个部位。膀胱经的寒气排出时会出现整个肩背酸软或酸痛。由于膀胱
经贯穿整个头部，因此，会出现后脑部位肿胀头痛或偏头痛的感觉，
眉头附近的印堂部位会隐隐作痛，按摩耳后的风池穴会有强烈的疼痛
感。喉咙也会出现不适的症状或咳嗽，这些都是膀胱经寒气排出时的
症状。夏天中暑时也经常会有这种感觉，两种情形都是背后膀胱经阻
塞的症状。

身体前面经络的寒气排出
时，最典型的症状是鼻
塞、打喷嚏、流鼻水，有
时候还会出现水泻。

排除膀胱经寒气出现不舒服症状时，最简单的应对方法是刮痧，由于背部是膀胱经主要的穴位所在，几乎整个背部的左右两侧都是膀胱经分布的部位。因此，只要在颈后、背部和前额刮痧，使经络通畅，刮完痧睡个觉，大概不舒适的感觉就不见了。

另外，当刚开始出现头疼时，可以多喝沙士，然后出去晒个太阳，所谓晒太阳，在冬天可以直射，夏天就只要在树阴下光线较强的地方即可，通常是半个小时后症状就自然消除了。另外，喝杯桂圆红枣茶，再睡个好觉，也能将症状消除一部分。

身体前面经络的寒气排出时，最典型的症状是鼻塞、打喷嚏、流鼻水，有时候还会出现水泻。这些症状和肺里寒气排出时相同，分辨的方法是用手触摸额头和鼻尖，再和脸部其它部位的温度相比较。如果额头的温度较低，则这些症状是身体前面经络中的寒气排出，如果是鼻尖的温度较低，则是肺里寒气的排出。经络中的寒气排除不会造成咳嗽也不容易出现发烧，肺里寒气排出时则很容易出现咳嗽和发烧。

身体前面存放寒气的经络主要是胃经和大肠经。因此，在寒气排出的同时，肠胃也会出现不适的症状。最常出现的是胀气，有时也会出现不停地想吃零食的状况，但大便却不顺畅，直到大便顺畅时感冒也就快好了。和排除膀胱经的寒气相同，这时最好的策略是休养生

通常是身体愈强的人驱赶寒气
的力度愈猛，感冒的程度也愈
严重。

息，让身体集中能量将寒气排出体外，可以适当地喝些桂圆红枣茶提
升身体的能量，协助身体排除寒气。

　　鼻尖的温度变低，是寒气从肺里出来最明显的症状。通常这种低
温会早于各种有感觉的症状之前出现。有些人的眼白这时也会出现淡
淡的蓝色，特别是儿童最容易有这种情形，做母亲的人一看到小孩眼
白变蓝时，就应该摸摸他的鼻尖，如果也变得冰了，那么就必须先有
小孩即将感冒的心理准备。可以在家中先预备好退烧药，当体温升到
三十八度半以上时就先用退烧药防止身体造成伤害。鼻尖低温或眼白
变蓝的症状出现了一两天，就会开始出现感冒的症状。如果前期低温
的时间很长（三天至一星期），再出现症状，则这次的感冒必定很严
重，很可能会出现持续高烧不退。似乎是人体酝酿了长时间才将寒气
驱出，因此特别严重。通常是身体愈强的人驱赶寒气的力度愈猛，感
冒的程度也愈严重。

　　肺里寒气出现的咳嗽所呼出的气体，总是凉凉的。这种咳嗽应该
视之为一种深度的呼吸，并不是疾病。是人体正常的功能，用来将深
藏在肺脏深处的寒气排出去的手段。

　　正确地分辨"哪些症状由疾病造成"，"哪些症状是人体正常的
功能所引起"是非常重要的。当认定咳嗽是人体的正常功能，目的是

传统中国民间利用姜汤来增强
身体的热能，或中西医都提倡
的多休息等，都是提高身体的
能量来加快排除寒气的良好方
法。

———————————————————

排除肺里的寒气，面对这种咳嗽，就不需要急着用药物将之终止，而
是寻求提升人体排除寒气能力的方法，把寒气彻底地排出体外。

　　传统中国民间利用姜汤来增强身体的热能，或中西医都提倡的多
休息等，都是提高身体的能量来加快排除寒气的良好方法。这些正确
的方法，有时并不会使症状减弱，甚至常会使症状更严重。因为身体
的能力增强之后，反而会有更大的力度来排除寒气，身体需要排出更
多的垃圾，当然会更不舒服。这种情形虽然会出现暂时更严重的症
状，但整个生病的时间会缩短，而且寒气真正被排了出去。

如何减少寒气的侵入

　　既然寒气的为害如此之大，每一个人又很难完全避免寒气的侵
入，只有在日常生活中建立正确的观念，尽量减少寒气的侵入。以下
是防止寒气侵入的几个主要方法。

避免淋雨

　　这是许多浪漫的年轻人喜欢经历小说和电影中场景的行为，由于
现代年轻人大多晚睡以致血气普遍不足，身体对于淋雨所侵入的寒气

疾病其实就是我们平时生活的忠实记录。

不容易立即将之驱出，因此也就不会有任何症状，大多数人也就天真地认为自己的身体很强壮，足以经受这么一点小雨。久而久之面对这种小雨就完全不在意。

其实这种淋雨会在头顶和身上其他受寒的部位留下寒气，经常淋雨的人，头顶多半会生成一层厚厚软软的"脂肪"，这些脂肪就是寒气物质。等身体哪一天休息够了，血气上升就会开始排泄这些寒气，由于长时间累积了大量的寒气，身体需要借助不断的打喷嚏、流鼻水的方式将之排除，这时又会由于频繁的打喷嚏、流鼻水而被医生认定为过敏性鼻炎。很可能由于年轻时贪图一时的浪漫，却要耗费许多年甚至大半生来承受过敏性鼻炎的痛苦，实在不明智。

洗头必须吹干

许多人洗头都有懒得吹干的习惯，有些人甚至用布将洗过的头包住，这些行为都会促使头顶吸入过量的寒气，其结果和淋雨有相同的后果。

游泳也是寒气进入身体最主要
的途径之一。

游泳时必须注意的事项

　　游泳是一件现代人很重要的运动和喜好，对身体也确实有好处，但是游泳也是寒气进入身体最主要的途径之一。和淋雨相同的是这些寒气大多数不会实时反应，使多数人不认为游泳和寒气有什么关系。多数喜欢游泳的人经常从水中出来时，都会感觉特别冷，特别是一阵风吹来禁不住打一个寒颤，这种感觉即是寒气侵入身体最具体的感受。

　　喜欢游泳的人最好选择没有风的室内温水游泳池，减少受寒的机会。同时在每次游泳的前后各喝一杯姜茶，加强身体对抗寒气的能力。

　　至于某些人喜好冬泳的习惯，从寒气的观点，那是最愚蠢的运动。自然界没有哪一种和人类近似结构的动物有这种行为，上帝在设计人体时并没有考虑到有人会把这种运动当成喜好，喜欢这种运动的朋友只好自求多福了。

　　给这些朋友的忠告是：一时没有症状并不表示寒气就没有侵入身体，个人的意志力可以让人体忍受这种刺激，却无法改变寒气侵入身

驱除寒气，不是等到身体出现
了症状再行处理。

体的事实。

家中常备姜茶

在一些中国古装戏剧中，常常看到有人淋了雨，长辈立刻要人准
备一碗姜茶给淋了雨的人喝。这是非常重要的常识，一个人淋了雨，
或受了风寒，无论他自己或旁人都知道他受了寒，就应该在这个时候
喝姜茶，驱除寒气，不是等到身体出现了症状再行处理。

病和症

　　第一次真正和中医的接触是由于我的牙龈经常发炎，牙齿浮起来，医生认为是牙周病，长期治疗也没什么效果，于是建议我找中医试试。朋友介绍了一个很好的中医师，他一看就说我的问题出在大肠，而且我的血气太差才会如此。只要养好血气再治好大肠就能够解决问题，后来我乖乖地早睡早起养血气，一个月后牙齿就不再痛了，至今多年来，牙龈没有再发过炎。

　　这个例子最能说明病和症的关系，牙龈发炎是症，血气和大肠才是真正的病。**"症现于四肢五官，病存于五脏六腑"**，是中医最基本的道理。

　　"辨证论治"是中医断病的一个基本方法，医生依据病人的症状以及自己对医学的理解和经验，用推理的方法寻求疾病的根本原因，再就病因拟定治疗的方法。由于中医不像西医单就症状治病，必须追根究底地推论疾病真正的原因。

　　通常疾病的原因有好几层。再以坐骨神经痛为例，患者经常是一条腿麻或抽痛，从中医的观点，首先必须了解病人疼痛部位和经络的关系，通常这种疼痛的部位多半位于胆经，因此可以判断是胆经痛。也就是不舒服的原因是胆经引起的，但这并不是最根本的原因，通常胆经的疼痛是源自于肺经，是肺热引起的，也就是胆经的问题是第一

疾病的诊断必须经过这样一层
一层的推理和分析，才能找出
治疗的方法，这就是所谓的
"辨证论治"。

————————————

层原因，肺热则是第二层原因。而肺热的形成则由于身体原本存在着寒气，当身体的能量足以排除寒气时，会使身体呈现肺热的状态。因此，寒气才是更里层的原因。这个例子中，腿麻或抽痛是"症"，肺里的寒气才是"病"。疾病的诊断必须经过这样一层一层的推理和分析，才能找出治疗的方法，这就是所谓的"辨证论治"。

病和症的关系

在前一章寒气的理论中，虽然寒气的症状会在身体各个部位出现，但医生在辨证论治的过程中，必须清楚身体排除的是哪一个脏腑的寒气。好的医生必须有能力从患者四肢五官的症状，读出在五脏六腑里的病，治疗时对"症"下药，不如对"病"下药来得有效。

这类例子不胜枚举，例如，一个鼻咽癌患者，其病因却是来自他早期曾经得过严重的肠胃感染。颈部是**大肠经**（图九）经过的部位，这条经络由于大肠的问题而堆积了许多废物，患者多半颈部粗大，从西医的"头痛医头，脚痛医脚"逻辑来看，这些废物长在咽喉附近，就定为鼻咽癌。也始终在鼻咽附近寻找可能的病因，通常都将之归咎于抽烟引起的疾病，如果患者不抽烟，就将之归类为二手烟的危害。其实癌症出现的部位是肠胃问题的结果，原因根本不在那里。就算把多数慢性病，是我们错用了身体的结果。我们需要的，不是灵丹妙药，而是一本正确的人体使用手册。

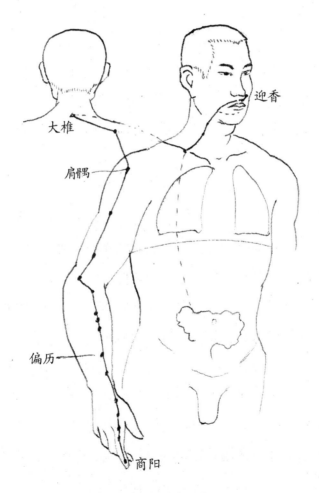

迎香

大椎

肩髃

偏历

商阳

图九　大肠经

肠胃感染有可能演化成各式各样的疾病。

那些癌症的物质全数割除，对于原因一点也没有影响，如果患者在手术后并不改变其生活习惯，肠胃的问题得不到改善，疾病在不久之后还是会复发的。

肠胃感染有可能演化成各式各样的疾病，如牙周病、过敏性鼻炎、鼻咽癌、肌无力、哮喘、粉刺等等。曾经有一个病例，是一个患了红斑狼疮的小女孩，追根究底查下来，她的原始病因很可能是吃了大量生的黄泥螺。最奇特的是两个精神病患者，居然也是起因于肠胃感染。

这些人除了记得多年前得过肠胃病以外，平常从来没有肠胃不舒适的感觉，有的甚至从来不拉肚子，每个人都认为自己肠胃很好。

有几个肺腺癌的患者，进行透视摄影时，在肺部会出现阴影，显示这些阴影的部位存在着异物，可是这些异物又不在肺脏内部，因此西医就将之定名为肺腺癌。

从中医的观点，在肺的外部两侧腋下的部位是**脾经大包穴**（图十）的部位。从中医的医理对于这些异物的判断是当脾胃中有病变时，经络上的新陈代谢较差，容易堆积垃圾，时间长了就形成肿瘤，也就是影像中的阴影。这些肿瘤虽然长在肺的位置，但是并没有长在肺的里面，而是长在脾的经络上，从中医的观点，应该是脾胃的疾多数慢性病，是我们错用了身体的结果。我们需要的，不是灵丹妙药，而是一本正确的人体使用手册。

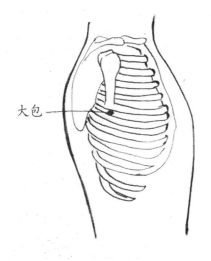

图十　大包穴在侧胸部，腋中线上，第六根肋骨间隙处

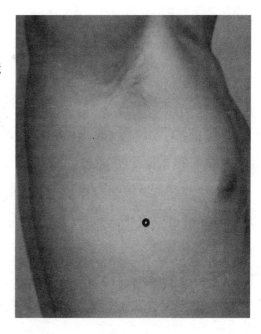

病。因此，正确的对策应该是针对脾胃进行治疗，而不是在肺的问题上打转。

其实这些垃圾在人体到处堆积着，有些堆在身上，有些则堆在脸上。例如，耳朵前方偏下脸颊特别厚的人，则是小肠经的堆积。肺癌例子中的垃圾，只是堆到了重要器官的附近，经过医生的误判，就成了重病。

一个皮肤癌的患者，病灶在脸上生长的部位是胃和大肠经经过的部位，在调理的过程中，大肠经经过的手臂和小腿部位，经常出现发热、发红、发痒的症状。过去也曾出现过这些症状，医生都将之判定为过敏性皮肤炎，可是却没有任何药物可以医治，每次发作很痒时，只能忍耐着等其结束。当肠胃的病灶控制住了之后，新的癌变就不再长出来，再过一段时间，旧的癌变也跟着掉了下来。

提到症状时，多数人都会想到一些如打喷嚏、流鼻水、皮肤痒、局部疼痛、长出异物或者严重的吐血、昏倒等身体上的明显变化。其实各个脏腑中发生病变时，其相应的经络也会出现各种症状，多数的症状都是没有感觉，例如前面例子中的肺腺癌和皮肤癌的症状，只是在身体里堆积了垃圾，患者并没有任何不舒服的感觉。

实际上人体内脏的疾病，在外表都存在着各种症状，一个好的医

现代医学最大的问题是：低估了人体自身的智慧，高估了人类知识的能力。

生必须具备从患者的各种细微症状中读出完整的健康状况的能力。

现代医学低估了人体的智慧

从中医的观点所看到的人体，是一个充满智慧的机体，长期以来，我们一直低估了人体的智慧，高估了我们自己的知识。经常在没有弄清楚人体在做什么，就判定了它的无能，随即我们用一知半解的知识贸然地进行干预，今日的许多疾病很可能是这些不当的干预行为所造成的后果。

拜现代科技之赐，中医最新的医学研究逐渐使其理论显现出科学的面貌，原来我们祖先的遗产并不是不科学，只是过去我们的科技能力无法证实而已。我们坚信随着这些研究的进一步发展，有机会开创出基因研究以外，解决众多慢性病的一条更有机会的新路。

人体内建的诊断维修系统，并不仅仅是西医所说狭义的免疫能力，而是包含自我诊断、人体资源管理、自我修复及再生的完整医疗体系，这些系统工作的最基本条件就是必须具备足够的血气能量。

既然人体内建了自己的医疗体系，当我们生病时，应该先考虑让体内的系统正常工作，而不是从外界直接介入调整，我们必须认知人体这些机能的存在，并能判别人体正在进行哪一种应变措施，以及它需要我们提供的是什么样的协助。

　　对于疾病的症状，应该从狭义的不舒服症状扩大到那些没有感觉的症状。并且对于不舒服的疾病症状所寻求的也不应该是直接消除这些症状，而是透过这些症状找出疾病的真正原因，彻底消除疾病的原因才是治疗的最终目的。

第六章　日常保养

既然血气能量是人体最重要的健康指标，而人体又是自然界的产物，那么必定存在着非常简单的方法就能使血气能量上升。我们从中医的医理，及自己长久的经验中整理出了一套简单的养生"一式三招"。

● 敲胆经

● 早睡早起

● 按摩心包经

这个一式三招是需要努力去做的功课，除此之外，还有两个重要的观念。

● 不生气

● 保持肠胃的清洁

一式三招和两个观念，都不是很复杂的功法，每天所花的时间不到 20 分钟，比较困难的是第二项早睡早起，其实多数人不明白睡眠的重要性，只要了解了，就能逐渐调整。再依照这"一式三招"，自己很快就能发现身体的变化。

"敲胆经"和"按摩心包经"是需要每天各花 10 分钟所做的自我治疗的功课；"早睡早起"虽然不是什么困难事，但却是现代人很难做到的；"不生气"是修身养性的功课；"保持肠胃的清洁"则是

每天一式三招，血气步步高。

敲胆经
早睡早起
按摩心包经

一种健康的生活习惯，这是一种观念问题，观念改正了，生活习惯自然会跟着调整。

这套方法只要持之以恒，使之成为日常生活的一部分，不需要有太多的食物禁忌，是一种最简单的养生方法。只要将这五件事经常铭记在心，血气能量必定经常处于上升的趋势，疾病将一天一天远离，长寿、健康、长葆青春是必然的结果。

这套方法不需要任何准备，就可以立即实施，只要试行一个月，即会发现身体的改变，可能精神或体力好些了，也可能体重略微增加，但人却精瘦些了。这是非常快速见效的一种方法。有些头发略白的人，试上1个月，就能发现白发停止增加了，3个月后白发开始减少。有些体力很差，经常很容易疲倦，到医院又查不出什么毛病的人，在试行了这套方法3～4个月后，体检时就可能出现血糖升高的糖尿病症状，这些都是好转的现象。至于糖尿病的问题，我们在慢性病的调养篇中会介绍其成病的原因和调养的方法。

就算不能严格实施这种生活方法，只要能接受这个观念，生活习惯自然会慢慢改正，至少不会再任意透支血气能量。许多朋友接受了这个观念之后，到了该睡觉的时间，会互道"回家养血气吧"。有时候不得不透支几天的体力，也会找机会好好补睡回来。当自己连续几敲胆经直接就会使臀部和大腿外侧的脂肪减少，大约一至两个月就会感觉裤管变大了。

天不正常的生活之后，都会不由自主地产生罪恶感，自动就纠正回来，只要到这个地步，身体就不容易坏到哪里去了。

敲胆经

敲胆经 （图十一）

如图，每天在大腿外侧的四个点，<u>每敲打四下算一次</u>，每天敲左右大腿各<u>五十次</u>，也就是<u>左右各两百下</u>。由于大腿肌肉和脂肪都很厚，因此必须用点力，才能有效刺激穴位。敲胆经主要在刺激胆经，强迫胆汁的分泌，提升人体的吸收能力，提供人体造血系统所需的充足材料。

由于敲胆经可以使胆经的活动加速，将大腿外侧堆积在胆经上的垃圾排出，因此，敲胆经直接就会使臀部和大腿外侧的脂肪减少，大约一至两个月就会感觉裤管变大了。

<u>患有脂肪肝和胆结石</u>的人，这个方法是最简单<u>而且最有效改善健康</u>的方法。

在"人体的系统"章节中，说明人体的能量和血液总量成正比。自然界创造人体时，必定提供了人体良好的造血系统，在正常情形下每一个人应该都能造出足够的血液。当人体出现能量下降的趋势时，

很多人身体力行地奉行本书中
的一式三招及健康观念，健康
真的就这么得到了。

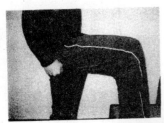
敲胆经第一下

敲胆经第二下

敲胆经第三下

敲胆经第四下

图十一　敲胆经

血气能量就像电器产品的电能
一样，是健康最重要的基础。

必定是人体某一个部分受到阻碍。因此，找出造血系统不能生产足够
血液的原因，再予以排除，使人体能够正常造出足够的血液，就能使
人体的能量供应呈现上升的趋势。

血气能量就像电器产品的电能一样，是健康最重要的基础。人体
造血有两个最重要的条件，其中之一是需要人体准备足够的材料，血
才造得出来。

胆汁是从肝脏中分泌出来的，胆囊则是储存及控制胆汁分泌的器
官。人体吃进去的食物，有一部分是由胆汁的化学作用，分解成人体
造血所需要的各种物质。因此，如果胆汁分泌不足，则食物被分解成
可供人体吸收的物质就不够，当然也就不能提供人体造血所需的足够
材料了。

造成胆汁分泌不够的原因，主要是现代人对感冒的处理方法上发
生了问题。现代人由于长期使用西药，在感冒的处理上，主要是针对
疾病的症状，采取压制的手段，而不是真正的把风寒排出体外。经常
是利用特效药将症状压下去，症状是消除了，但是引起感冒的风寒却
留在体内。

胆经是一条从头到脚的经络，其中大腿外侧是最容易被寒气侵入
的部位，也是胆经最容易积存寒气的部位，由于寒气的积存会使这个

部位的经络流动不通畅，因而使这个部位附近的组织所排泄的废物难以排出，长时间累积的结果，自然使得整条胆经都不畅通，胆的机能也就难以正常运行。同时这段胆经敲打起来最为顺手，因此建议每天适当地敲打胆经。

敲胆经会直接刺激胆汁的分泌，这是治标的方法，没有立即解决胆或肺的问题，只是直接刺激胆经强迫胆汁分泌，使人体能够生产足够的造血材料，血气便能逐渐上升。

肺和胆的问题必须等到身体的血气很高才能完全解决，那需要很长的时间。因此建议最好将这个运动养成终生奉行的习惯，每天只要10分钟不到就可以完成了。

胆功能不好的症状很多，最明显的就是白发。这是由于人体的能量不足所致，中医有一句话："发乃血之末"，由于营养供应不足才会造成白发。油性头发也是另一种症状，这是由于胆汁分泌不足，无法有效分解吃进去的油脂，加上肝热的因素，就从头发排出油了。

敲胆经是最佳的进补方法

早期人类的运输工具不发达，特别是没有运输食物的冷藏设备，

对多数现代人而言，与其经常
进补，还不如每天敲敲胆经来
得对身体有益。

多数人终其一生，只吃居住地周围二三十公里范围的食物，每一个人
都或多或少有些偏食的问题。因此，在那个年代的医生，最重要的就
是让患者吃到一些平时吃不到的食物，药物和进补在那个时代能够发
挥很大的治病功效。几千年下来，人们的经验累积，使得多数人一生
病就会想到必须吃药或进补。

现代运输工具发达，多数人在吃的方面，无论多远的食物，都可
以成为每天的日常菜肴。只有少数人有偏食的不良习惯，才会有营养
的问题，多数人并没有因吃的食物不够而营养不良。

虽然现代人营养都吃进去了，但是由于胆功能不好，使得人体的
吸收能力很低，吃进身体的食物常常因为无法吸收而直接排出，在这
种情形下吃再好的补品也是没有多大作用的。

不同时代的人，疾病的形态不同，进补的方式也不一样。从现代
人的食物来分析，问题并不是现代人缺少了什么，而是吃进去的食物
能不能被吸收。因此，生病吃药或进补并不是完全必要。对多数现代
人而言，与其经常进补，还不如每天敲敲胆经来得对身体有益。

早睡早起

前一节敲胆经的功课，使人体可以生产足够的造血材料，这一节

看电视所用掉的大多数
是造血时间。

正确的睡眠则提供人体足够的造血时间，两者俱全，人体的造血机能就能够正常工作，血液总量就会逐渐增加，血气能量也就逐渐提高了。

有了足够的血气之后，不但能改善人体的肥胖状态，还能使皮肤的新陈代谢加快，皮肤会愈来愈光滑，肤色也会愈来愈健康。血气够了，皮肤就会出现血色，脸上自然会呈现白里透红的气色。同时嘴唇也会自然红润。血气提升之后，脑部的供血增加，使人更聪明，反应更快。无论读书或工作，都会更得心应手。

"早睡早起身体好"是我们从小就被反复教导的良好生活习惯，可是现在每当建议朋友晚上最好10点钟睡觉时，90%的朋友的回答都是："那怎么可能？"只有那些已经得了不容易医治疾病的朋友，才会排除万难，勉强实施这个从小被教育的生活习惯。

人体造血的最佳时段，是从下午天黑之后到午夜一点，而且必须达到深度睡眠的状态。因此，建议每周至少保持午夜12点以前，累计有8个小时睡眠。

"日出而作，日落而息"是远古以来人类的生活习惯。几万年来，由于没有电力，夜间几乎无法活动。近代电灯的发明，加上电视和计算机的出现，以及夜生活愈来愈丰富，睡觉的时间愈来愈晚。古正常的睡眠提供人体足够的造血时间，将吃进去的养分转化为人体可以储存及使用的血液或其它形式的物质。

时候，"三更半夜"是形容很晚的深夜，除了少数作奸犯科的坏人以外，一般人几乎很少在这个时候还在活动的。但是现代的多数人几乎都是不到"三更半夜"不上床。

汽车在使用一段时间之后，必须进行加油和保养。同样的，人体也是在使用了一段时间之后，在休息时进行加油和保养。人类早期，并没有电灯，在天黑以后，一定进入睡眠状态，和目前多数的野生动物一样。因此，这些加油和保养的工作，必定排在夜间人体睡着之后进行。而时间的控制很可能就用太阳的磁场变化来作为定时的控制装置。"日出而作，日落而息"是人类的最原始作息方式，任意修改这个作息方式，必定会为健康带来重大的影响。

正常的睡眠提供人体足够的造血时间，将吃进去的养分转化为人体可以储存及使用的血液或其它形式的物质。根据我们的经验，如果每天晚上11点睡，加上前一章的敲胆经改善营养的吸收，血气至少可以保持平衡，而且有很少部分的余蓄，如果10点睡，就可以使人体的血气形成上升的趋势。

由于血气能量可以用血液形式存于人体内，可以储存也可以透支。因此当我们有时候不得不有一两天晚睡时，可以在其它的日子里早点睡，把不足的睡眠补回来。

百岁老人三字经：

敲胆经，

早睡觉，

压心包，

不生气，

肠干净。

睡眠时间不对是现代人生病的最主要原因之一，对于这个原因所造成的疾病，也只有在正确的时间里将不足的睡眠补回来一途，没有任何药物可以替代。

当做到敲胆经和早睡早起的功课后，人体的血液会很快增加，这些血液会充盈于人体的脏器，人的体形不一定会变胖，但是体重一定会增加。

原来血气能量很差的人，依照这种方法调养，有可能在 1 个月内增加 1 公斤左右的体重（增加的重量主要来自于增加的血液）。这是人体血气能量提升，走向健康的一种现象，并不需要因体重增加而放弃了这个方法，这部分的重量增加和肥胖并没有直接的关系。

因此，建议读者在开始利用这本书所提供的方法之前，先量量身体某些部位的尺寸(那些您担心发胖的部位)，等体重升高后，再来作比较。了解到底增加的是内部的血液或者是外部的脂肪，不要受到体重计的愚弄。

按摩心包经

心包经（图十二）

在心包经的穴位进行按摩，在图中所标示的位置附近寻找穴位，多数慢性病，是我们错用了身体的结果。我们需要的，不是灵丹妙药，而是一本正确的人体使用手册。

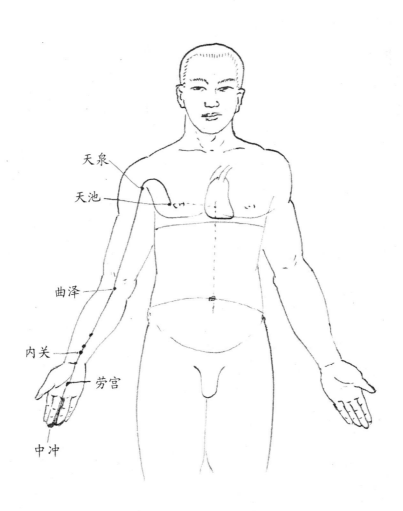

图十二　心包经

心包经在中医里是一个独
立的经络，许多病症都和
这个经络有关。

找到了穴位，稍用力压就会感到明显的痛感。每天在每个穴位按摩2~
3分钟。

　　除了心包经之外，应再按摩任脉的**膻中穴**（图十三）和膀胱经的
昆仑穴（图十四），其中昆仑穴的按摩应在按摩心包经之前实施，这样
比较容易将过多的心包积液排出。

　　这个方法最主要的功效，在消除心脏外部的心包积液，解除心脏
所受不必要的压迫，使心脏的正常功能得到发挥，有能力将血液输送
到身体各个部位，将堆积的废物带走。

　　过多心包积液的去除，可以减少许多人体的不舒适，例如胸闷、
心悸、呼吸不顺畅、手脚无力、肩背酸痛、心律不整等，这是最快见
效的方法。这个方法可以提升人体的免疫力，感冒发烧时，配合其它
穴位的按摩，是最好的退烧方法，特别是小孩发烧，又不想服用太多
药物时，这是最好的选择。

　　心包经在中医里是一个独立的经络，许多病症都和这个经络有
关。从解剖学来看，心包是心脏外部的一层薄膜，和心脏之间有部分
体液，作为心脏和这层膜之间互动时的润滑剂。

　　在某些情形下，会使这些体液增加，使得心脏的活动受到影响，心脏
泵血的能力也就减弱了。供给到身体各个组织的血液也相对的减少，是

很多人身体力行地奉行本书中的一式三招及健康观念，健康真的就这么得到了。

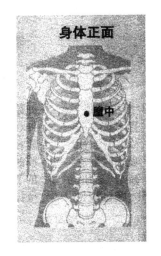

膻中穴

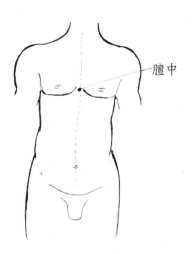

图十三　膻中穴，在两乳头连线的中点。

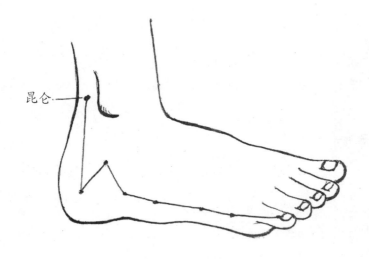

昆仑

图十四　昆仑穴属膀胱经，
在足部外踝后方凹陷处。

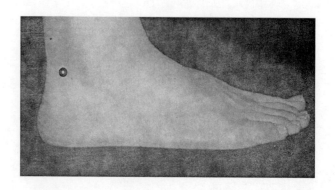

肥胖形成的主要原因之一，因此，按摩这个经络是减肥首要的工作。

从中医五行理论，心属火，脾属土，火生土。心脏的能力提升，也能够同时强化脾脏的能力。脾脏是人体免疫系统最重要的器官，因此按摩心包经可以提升人体的免疫能力。多数疾病，按摩这条经络都能对身体有很大的帮助。

心包积液的形成，主要是身体中出现了疾病，脾脏将主要能力用来和疾病对抗，就将运水的工作暂时搁置，心包中的废水就积了下来。由于人体多数的维修工作都在夜间睡眠时进行，因此，多数的积液情形会出现在早上，通常到下午就会退去。

但是当疾病严重时，人体会不停地和疾病对抗，这时积液就会长时间不退，使得心脏的机能减低，脾脏对抗疾病的能力也跟着下降，进一步恶化心包积液的情形，形成了恶性循环。这时人为的按摩心包经可以快速将心包膜中的积液排除，提升心脏的能力，帮助脾脏打赢这场战争。

按摩这个经络的穴位时，在人体胸前肋骨的下方（如图十五），可以听到流水声的变化。在按摩前先听其声音，按摩穴位时再持续监听，就能比较其差异。经络不通时这个部位是没有声音的，按摩一段时间就能听到一些液体流动的声音。

很多人身体力行地奉行本书中
的一式三招及健康观念，健康
真的就这么得到了。

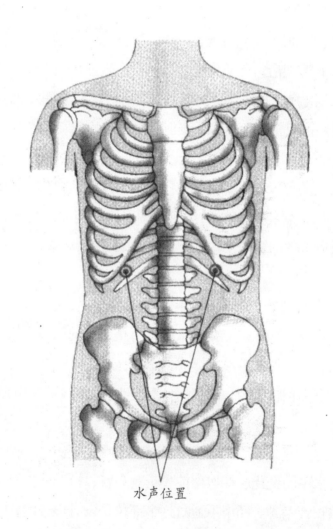

水声位置

图十五　按摩心包时听水声的位置

简化的按摩方法

虽然整条经络的按摩，能够得到最好的效果，但是在日常生活中，有时并不能坐下来好好地按摩。而身体又正好不舒服，例如，晕车或晕船时，或平常突然感到胸闷、气喘不过来，手脚无力等。这时先按摩两脚膀胱经上的昆仑穴，再按摩胸口任脉的膻中穴，就能很快使症状得到缓解。

不生气

不知道从什么时候开始，中国人把发怒说成"生气"，从小到大一直用这个名词。学了中医之后才晓得原来人一发怒，真的会在体内产生往上冲的"气"，严格说来"生气"根本就是一个中医的名词。

不单是人会生气，多数的动物也会生气，动物生气之后接下去就是打斗，因此，生气是打斗之前身体的准备动作。身体透过"生气"调整内分泌，使身体达到打斗时的最佳状态。

动物的生气有点像一个国家的备战一样，当一个国家面临战争威胁时，会立即进行备战，将大量的资源投入战争的准备中。一旦战争

发怒时身体会产生气，
所以称之为生气。

威胁消失，这些投入的资源多数成为废物。就像前苏联解体之后，必须花费很大力气处理各种洲际飞弹和坦克一样。

动物的生气和国家的备战一样，身体将许多资源进行调整，让身体的配置进入战斗的预备状态，准备应付接下来的战斗。一旦状况消失，这些调整的资源就成了废物，必须排出体外，或花费力气将之改变回来。因此，生气就像国家的战争一样，会大量消耗资源，非常浪费身体的血气能量。

《黄帝内经》灵枢篇中对疾病的原因有一段说明：**"夫百病之所始生者，必起于燥湿寒暑风雨，阴阳喜怒，饮食起居。"**我们的老祖宗很早就明白生气是最原始的疾病根源之一，不但浪费身体的血气能量，更是造成人体各种疾病的一个非常重要原因。

和多数的疾病一样，长期生气会在人的身上留下痕迹。从外表看经常脾气火暴、处于发怒状态的人，多数会造成秃头。严重的还会使头顶的形状改变，头顶中线拱起形成尖顶的头形。生气的程度轻一点的，则会在额头两侧形成双尖的 M 字形的微秃，这种人脾气一定急躁。

从中医的角度来分析，发脾气时，肝气会往上冲，直冲头顶，所以会造成头顶发热，久而久之就会形成秃头。严重的暴怒，有时会造所谓的生气并不单指发出来的脾气，有些闷在心里的生气也会对人体造成伤害。

成肝内出血，更严重的还有可能会吐血，吐出来的是肝里的血，程度轻一点的，则出血留在肝内，一段时间就形成血瘤。这些听起来很可怕，可是却是真实的情形。

所谓的生气并不单指发出来的脾气，有些闷在心里的生气也会对人体造成伤害。生闷气会使得气在胸腹腔中形成中医所谓"横逆"的气滞。妇女的小叶增生和乳腺癌很可能都是生闷气的结果，而且多半是生异性伴侣的闷气。

另外一种情形是有气无处发的窝囊气，这种人外表修养很好，好像从来不发脾气，其实心里经常处于生气或着急的状态。这种人也很容易形成横逆的气滞，造成十二指肠溃疡或胃溃疡，严重的会造成胃出血。这样的人，额头特别高，也就是额头上方呈半圆形的前秃，是最大的特征。发病时鼻翼两侧会出现红晕，略红时仅是溃疡，非常红时就可能出血了。

从中医的五行理论，认为肝属木，脾属土，木克土。肝气太盛时会使脾脏也跟着旺起来，如果血气很旺盛的年轻人，这时会产生许多白血球，去处理肠胃的问题，很可能一些年轻白血病患者的真正病因根本就是来自生气。

生气会造成肝热，相反的，肝热也会让人更容易生气。从中医的

日常保养的第一件事就是要求
"不生气"。

观点，怒伤肝，肝伤了更容易发怒，两者会互为因果而形成恶性循环。这种恶化会愈来愈严重，也愈来愈难改变习气。最终只有这个人大彻大悟，真正下决心彻底改变时，才有机会回头。

这是上帝设计用来修炼人性的方式，几乎所有的习气都是类似的逻辑。例如，悲伤肺，肺伤了更容易悲；忧伤脾，脾伤了更容易忧，就走上忧郁症的死胡同里。

当人体长期透支体力，使血气下降到阴虚火重的水平时，由于这时的人体使用的能量是透支的"火"，肝必定比较热，肝火也比较旺，人就很容易生气。因此，调养血气，使血气上升超越阴虚的水平，也会使人的脾气变得比较平和。

暴怒也会造成肝热，继而使肺也跟着热起来，就会造成严重的失眠，我们曾经遇到一个五天五夜无法成眠的人，就是生气造成的。

在医院中身体虚弱的病人，有时候一生气就会造成生命的危险。例如，痰比较多的病人，一旦生气，会使痰上涌，造成严重的气喘，一不小心就窒息死亡。

由于生气会使身体造成许多问题，因此，日常保养的第一件事就是要求"不生气"。所谓的不生气并不是把气闷住，而是修养身心，开阔心胸，或者寻求一种宗教信仰，使得面对人生不如意时，能有更

最简单的消气办法则是用热水
泡脚。

———————————————————

宽广的心胸包容他人的过错，根本没有生气的念头。如果生活或工作
的环境让人无法不生气，那只有转换环境一途。

生气是一个人内发的因素造成的，再好的医生也无法防止病人生
气，因此，这个问题只有病人自己修养才有机会克服。

医生只能在病人生气之后，设法将生气造成的伤害减到最低。做
法是按摩或用针灸肝经。最简单的方法，就是生了气后，立刻按摩脚
背上的**太冲穴**（图十六），可以让上升的肝气往下疏泄，这时这个穴
位会很痛，必须反复按摩，直到这个穴位不再疼痛为止。也可以在生
气的当天找一个针灸医生，在太冲穴扎针，隔两天再扎一次，直到这
个穴位按起来不再痛，头顶也不再发热为止。或者吃些可以疏泄肝气
的食物，如陈皮、山药等，也很有帮助。最简单的消气办法则是用热
水泡脚，水温控制在摄氏 40～42 度左右，泡的时间则因人而异，最好
泡到肩背出汗（在室温摄氏 25～28 度），有的人需要半小时，血气低
的人有时要泡两个小时。

如果由于生气而在肝里留下了血瘤，那就需要很长时间的保养，
当血气能量很高时，身体才会开始处理这个问题。

一些朋友明白了生气会有这么严重的后果，就再也不敢生气了。
生气的实质意义是"用别人的过错惩罚自己"，是人类最愚笨的一种行

很多人身体力行地奉行本书中
的一式三招及健康观念，健康
真的就这么得到了。

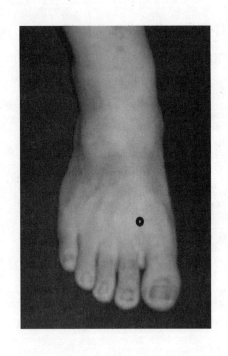

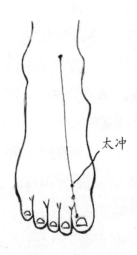

图十六　太冲属肝经，在足
背部，当第一趾骨间隙之后
方凹陷处。

百岁老人三字经：

　　敲胆经，早睡觉，压心包，

　　不生气，肠干净。

为。因为生气造成死亡的人，中国人称之为"气"死的，其实也是真正"笨"死的人。

　　以目前医学的诊断方法，很难定义病人的疾病是由于生气造成的，也许将来有一天，可以做到这一点。到时候人们将会发现，生气很可能是人类最主要的死亡原因之一。

　　佛经说："世人多愚昧。"一点都没错，大多数的人是笨死的。

保持肠胃的清洁

　　肠胃的问题和多数的慢性病有密切的关系。许多严重的疾病，追根究底找寻原因，多数都是源自于肠胃的问题。例如，鼻咽癌、淋巴癌、皮肤癌、肌无力、痛风等。

　　在日常生活中随处都能见到肠胃有问题的人，例如长不高的人、肥胖的人、大腹便便的人、很容易长粉刺的人、下嘴唇肥厚的人、容易流口水的小孩等等，都是肠胃受到较严重感染的症状。

　　这些感染主要来自两个来源，一个是来自唾液的感染，另一个是食用不清洁的食物。

防止唾液的感染

有一种说法，小孩初生时，由于还有母亲的抗体，所以不太会生病，也不太会拉肚子，6个月之后，慢慢的这些抗体失去了效用，就开始愈来愈多病，也开始拉肚子。小孩经过一段时间的疾病的历练，慢慢地会培养出抵抗力来。

从这个说法演变下来，就有些人认为小孩吃东西太注重卫生，会使小孩没有抵抗力。"不干不净，吃了没病"是中国人的一句俗话，就是这种想法。

其实小孩在初生时，主要是吃奶，和成人的食物完全不同，当然也完全隔离，受到感染的机会很少。但是6个月之后，开始接触成人的食物，也许是喝喝汤或一些流质的食物，这时就开始和成人接触，很可能使用成人用过的餐具，受到成人唾液的感染。成人口中有上千种不同的细菌，由于是一点一点慢慢累积下来的结果，在成人体内已经形成一个平衡的状态，虽然实际上充满了细菌，表面上看起来并没有疾病的症状。但是几乎完全洁净的婴儿突然接受这么多的细菌，立刻造成很大的问题。

再大一些的孩子，长出了牙齿，可以吃的东西更多，开始和成人共桌吃饭，感染的机会也就更多了。特别是一些长得可爱的孩子，到左邻右舍串串门子，大人都会拿些吃的东西给他，有时候甚至是大人吃了一半的东西，就给他吃。孩子完全暴露在成人的唾液感染环境中。

　　感染的初期由于人体仍有强大的抵抗力，细菌一进入体内立即引发人体的防卫系统和细菌之间的大战，随即出现拉肚子甚至发烧的症状。这时由于症状激烈，大人们就以为孩子的身体不好，抵抗力不够。

　　随着感染次数的增加，身体的血气愈来愈差，抵抗力也愈来愈低，最终失去了抵抗能力，任由细菌长驻在体内，也就不再拉肚子了。这时不再出现有感觉的症状，开始出现流口水，发胖等没有感觉的症状，大人们就以为孩子的抵抗力增强了，可以抵抗这个世界的恶劣环境。

　　从表面上看，常常拉肚子，大家都认为是抵抗力不好的现象，不常拉肚子，是肠胃好的现象，实际上却是完全相反的结果。这类肠胃细菌的感染，最大的问题是当人体失去抵抗力后，再受到感染时，身体不再抵抗就不会有任何不舒服的症状，完全没有感觉，可是细菌却

洁净肠胃的第一件工作，就是
改变饮食习惯，推行公筷母匙
的饮食方式。

在体内不断增长，这些细菌会消耗人体大量的血气能量。直到有一天
人体血气能量枯竭，才会以其它形式的疾病出现症状，这时距离最早
的感染时期，很可能已经是 20～30 年或更久以后的事了。

　　成人的唾液中含有大量的细菌，不但会对小孩的身体造成非常大
的伤害，也会对成人造成伤害。中国人的饮食习惯是一家人共同在相
同的餐盘中挟取食物，这是非常不卫生的。因此，洁净肠胃的第一件
工作，就是改变饮食习惯，推行公筷母匙的饮食方式，特别是有小孩
的家庭，这是保护儿童不受成人唾液感染的最基本条件。

　　当肠胃中有细菌感染时，每一种不同的细菌会在人体特定的部位
驻留，当肠胃中有细菌驻留时，会在经络上相应的部位造成阻塞，时
间长了，就会形成垃圾的堆积。通常经过长期相处，相同一家人的身
上都会拥有相同种类的细菌，经络上就会在相同的部位堆积垃圾，慢
慢的即便是没有血缘关系的亲人，长相也会愈来愈像。

　　有些人可能会认为血缘关系是造成长像相似的主要原因，但是经
常都可以发现没有血缘关系的养子或养女，也和养父或养母愈来愈
像。更常见的是一对夫妻，共同生活久了，就会愈来愈像，人们称之
为夫妻脸。就是因为肠胃中有愈来愈多相同的细菌，造成多数阻塞经
络的位置愈来愈相似，脸面上垃圾的堆积情形也愈来愈相近，长像就

愈来愈像了。说穿了，夫妻脸是代表夫妻体内有相同细菌的病相，一
点都不罗曼蒂克。

不吃生的动物性食物

生的动物性食物，是人体另一个细菌感染的来源，例如生鱼片、
半生不熟的牛、羊肉、醉虾、醉蟹、没煮熟的蜗牛或田螺、黄泥螺
等。

和人体唾液的感染相同，这些细菌在感染初期，如果人体有足够
的血气，会出现拉肚子或其它的症状，但是一段时间之后，人体失去
了抵抗力，对这些食物不再有任何反应。这种现象有些人认为是身体
经过了这些锻炼，抵抗力增强了，所以能够抵抗这些细菌。也有些人
根本认为这些食物很干净没有细菌。这两种人多数会继续食用，细菌
在体内长期继续繁殖，直到人体崩溃为止。

和人体的唾液感染相同，这种细菌的感染，从感染到发病通常需
要数10年的时间，等到发病时，无论如何都无法和这些食物联想在一
起，多数都认为吃了几十年都没事的食物，不可能会有问题的。

"砭"指刮痧和按摩的物理治

疗方法，是四种方法之首。

更有人认为日本人吃了生鱼片，几百年都没有问题，而且日本是先进国家，日本人又有洁癖，他们吃了都没事。殊不知日本人早期之所以矮小，很可能就是由于长期吃食生鱼片的习惯所致。今日日本人肠癌、肺癌、鼻咽癌都偏高，这些癌症都和肠胃的感染有密切关系。

肠癌当然直接就长在肠子里，肺癌中有很大的一部分是在肺部前方的位置长了肿瘤或癌细胞，这个部位从中医的经络来看，是长在大肠经别的部位，很可能也是大肠长期感染引起的。鼻咽癌的情形和肺癌类似，长异物的部位也是大肠经经过的部位，这些癌症都和大肠的感染脱不了干系。

肠胃是人体对食物的第一道警戒线，当人体吃进了不洁的食物时，最好的策略，就是把这些食物和细菌用拉肚子的形式排出体外。当一个人很久都不再拉肚子，并不是他的肠胃很好，而是已经麻木了。

中医的各种治疗手段

传统中医的治疗手段，在古书中的记载是分为砭、针、灸、药四种方法。"砭"指刮痧和按摩的物理治疗方法，是四种方法之首，可见是各种方法中最重要的方法。除了"砭"的治疗效果可能特别好以外，由于它完全不需要特别的材料和工具，只要一双手或简单的刮痧板或瓷汤匙，甚至扁平光滑的石头就行了。只要懂得医理，随时随地都能为人治病，是最方便的医疗方法，因此被古人将之列为各种治病方法之首。药为四种方法之末，主要可能是这种方法需要各种不同的药材，不是随时随地都能具备的，因此被列为治疗方法中的下策。

一个好的中医应该精通这些方法，视实际需要及资源状况，选择最好的方法为人治病。但是由于"砭"的治疗方法，医生最耗体力，也最耗时间，最不容易赚钱，动手动脚的像在干粗活一样，形象并不是很好。而开方取药，不但能用最少时间、最少体力为人看病，也能维持医生专业权威的形象。同时在药材上也比较容易抬高价格，可以使医生获得较大的经济利益。

多年演变下来，最终"以药为主"的治疗方法成为中医主流，而各种"砭"的手段却沦为民俗疗法，正牌的医师不屑为之，中医的功效也大打折扣。有些以"砭"治疗为主的疾病，就成了今天的不治之症，例如，重症肌无力（台湾所称"渐冻人"，或神经元疾病）是最好的例子。

重症肌无力最早的成病原因多半是肠胃的细菌感染，加上血气低落，使得脾脏的能力低下，无法清除人体的废水，形成了心包积液长

每天一式三招，血气步步高。

敲胆经
早睡早起
按摩心包经

期过多，心包经长期阻塞，心脏能力长期低落。心脏是人体血液的泵，泵的能力不足，血液长期没有能力进入肌肉组织。没有血液的肌肉自然没有力量，没有血液中营养的供养，肌肉逐渐演变成萎缩的症状，就形成了严重的疾病。

多数这种疾病的患者，都由于长时间的心包积液，使心脏外侧堆积了太多的垃圾，形成一层厚厚的油脂，现代医学称之为心肌肥厚。这些堆积的垃圾需要不断地清除，才能使之慢慢减少。

清除这些垃圾，当然首先需要身体具备足够的血气能量，因此，敲胆经和早睡早起是最重要的手段。当身体休养生息时，可以同时按摩心包经，使心包积液迅速清除，新的垃圾不再堆积，同时也能带走部分旧的垃圾。

这就是本书中的一式三招的养生方法，只要不断地重复这一式三招，有机会使心脏外侧的垃圾清理干净，当然就有机会使肌肉的机能再度恢复。

第七章　减肥

目前的医学观点，肥胖算不上是疾病，却是许多人共同的烦恼。市面上有许多减肥的方法，但却不是对每一个人都有效。有些人成功地减去了肥肉，不久精神松懈下来，人又胖了回去。

从这些现象看来，显然现代医学对肥胖的病理研究还没有真正理清楚。现代医学对肥胖的理解是人体营养过剩时，身体会把多余的脂肪贮存在皮下，于是就造成了肥胖，也就是肥胖所增加的物质是脂肪，是一种被储存的能量。

这种理论的根据，主要是观察一些冬眠的动物得来的。有些具有冬眠习惯的动物，在冬天到来之前会吃大量的食物，身体明显地胖了起来，然后整个冬天都在睡眠状态，身体就靠以脂肪形式贮存的能量支撑。

其实自然界中只有很少数的动物有冬眠的习惯，也许它们的身体，设计时就具备了这种机能。但是人类显然是没有冬眠的习惯和能力，在设计时应该没有具备这种机能。同时人类当中许多胖子的食量并不多，反而许多瘦的人食量大得惊人，却不见其将脂肪堆积在皮下，难道这种贮存能量的机能会因人而异？

仔细观察胖子身上的"脂肪"，当用手去"抓"、"捏"时，可以感觉那些多出来的"脂肪"是和身体分离的，似乎不是身体组织的一部分。当我们有机会检查市场买来的肥猪肉时，可以发现其中的一部分肥肉是和其组织不连接的，可以轻易地用手将之分离，但是有一部分肥肉则是直接连接在皮下组织，两者显然是不同的。

有些人身上的脂肪瘤会变换位置，而且明显地感觉到这些瘤和身体是分离的。也就是说这些多出来的物质，并不是人体的组织，而是组织间隙里的物质。这些物质有可能是含有能量的营养物质，更有可能是身体无力排泄出去的垃圾。

这些物质所以被称之为脂肪，其实只是因为从冬眠动物身上悟出的一点似是而非的道理而已，并不是真有确凿的证据。但是几乎今天所有的减肥理论和方法都是从这个论点发展出来的，都在努力地防止"脂肪"的增加和消减"脂肪"。主要的方法都在减少能量的摄取，或者把脂肪消耗掉。

例如，控制饮食防止吃进过多的热量转化成脂肪；运动消耗脂肪能量；甚至手术直接抽取脂肪等等，都是从动物冬眠的理论所发展出来的方法。

显然这些方法并不是太灵光，许多人就算用了这些方法也无法去除肥肉，甚至连减少肥肉继续增长都做不到；但是也有许多人就算不依照这种法则生活，也不会发胖。最大的讽刺是西方医学最进步的美国，每年在减肥市场上花了无数的金钱，但是仍然无法阻止肥胖人口的继续增长，据最新的统计预测，10 年后的美国将有超过 80%的过胖人口。这样的发展更说明了整个减肥理论有非常重大的缺陷，很可能完全错了。

仔细观察年龄在脸上和身上留下来的痕迹，可以发现随着年龄的增长，脸上和身上堆了愈来愈多的"东西"，这就像一幢老旧的房子，总是到处留下不可磨灭的痕迹一样。如果那些东西是脂肪的话，是不是意味着年龄愈大身体就贮存了愈多的能量呢？显然这一点和实际的情形正好相反，身上堆了愈少东西的人体能似乎更好一些。

肥胖不是吃得太多，而是排得太少

肥胖的真正原因很可能是当身体的血气能量不够，没有足够的能量将身体内部的废物排出体外，这些排不出去的垃圾堆积在身体内部组织的间隙，随着堆积垃圾的逐渐增加，人就慢慢地胖起来。

从这个逻辑来看，肥胖并不是能量过剩，身体将过多的能量储存下来；反而是能量不够，使身体没有足够的能量将垃圾排出体外。从能量观点来看，两者完全相反，前者是能量过剩，后者是能量不足。这样的逻辑和传统的认知几乎背道而驰，但是却能对各种肥胖的现象

吃得少的人发胖，吃得多的人
反而不发胖。用能量贮存的理
论不能解释这两者的差异。

作出更合理的解释。

　　许多胖子的食量并不多，还是不断地发胖；经常听到胖子抱怨，连喝水都会胖，有时这并非形容词，而是真实的情况。许多体型瘦的人，吃再多的食物也不会发胖。这两种人的胖瘦和他们的食量并没有直接的关系，吃得少的人发胖，吃得多的人反而不发胖。用能量贮存的理论不能解释这两者的差异。但是用没有能量排出垃圾的理论，就很容易解释这个现象。

　　细胞是身体的最底层组织，每一个细胞都会独立地吸收营养和排泄垃圾，细胞中所排出来垃圾必须随着体液的流动，经过微血管回到静脉，再经肝、肾的过滤排出体外。如果其中任何一个环节发生问题，就会造成垃圾无法正常排泄，因而堆在细胞和细胞之间的间隙。初期分量不多，垃圾会悬浮在组织液中，随着时日的增长，垃圾愈来愈多，整个人体的重量和体型都愈来愈大。这些颗粒原来还呈液体状，慢慢地悬浮的小颗粒愈来愈多，体积也愈来愈大，最终形成块状的固体，从外表触摸起来硬硬的很结实，很多人还以为自己变结实了呢。

心脏病是肥胖的原因

　　身体内部所有液体的流动，最主要的动力就是来自心脏的搏动。

因此，造成细胞垃圾堆积的最主要原因必定是心脏的问题。两则由统计分析得出的肥胖逻辑：一是肥胖的人容易得心脏病；二是随着经济的改善，饮食也跟着改善，营养过剩成为肥胖最主要的原因。多数人都同意这两个逻辑，但是真的是如此吗？

先从肥胖的人容易得心脏病谈起，中医和西医对疾病的认定有很大的差距。以心包积液为例，西医必须等透视照片的证据确认了心包积液高出了标准才能确认疾病的存在。但是中医从把脉中的沉脉现象可以立刻得知心包积液过多，通常这时就算用最进步的仪器检查，都不会被认定心脏有问题。可以说在心脏疾病的认定上中医远较西医敏感得多。

从中医的观点，大多数肥胖的人，心包经都是阻塞的，而且这种阻塞的情形通常都在他还没有真正肥胖的时候就出现了。实际的情形是由于心包经的阻塞（心包积液过多），使得经络中的组织液流动出现了障碍，导致垃圾的堆积，长时间的垃圾堆积最终才形成了肥胖。

心包经阻塞的人随着身体血气的愈来愈低，排不出去的垃圾愈来愈多，人愈来愈胖，同时心包积液愈来愈多，问题也愈来愈严重。心包积液过多引起的毛病，如心悸和心律不整也跟着愈来愈严重，因而被医生检查出心脏方面的疾病。由于肥胖的问题先被从外观看出来，

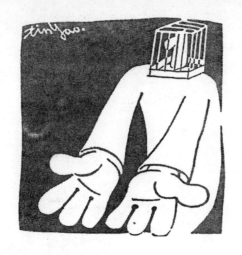

生了病的人总想找到能够药到病除的灵丹妙药，却不愿意调整自己的生活习惯，去除真正的病因。

心脏的疾病过了很久才被查出来。从统计上看来大多数的胖子最终得心脏病的比例很高，因此，肥胖就变成了心脏病的原因，和从中医理论所推论的结果"心脏病造成了肥胖"因果完全颠倒。

再谈经济能力提升，造成饮食过剩，最终形成的肥胖问题。其实在发展中国家的经济能力提升期间，除了饮食改善之外，在家庭中的也增加了风扇、冷气和冰箱等电器用品。

记得小时候家里刚有电扇时，夏天从外面玩得满头大汗，最开心的就是对着电扇猛吹。现代的孩子则进到冷气房对着出风口吹冷气，同时到冰箱里拿一瓶冰的饮料，大口大口地灌进肚子里。通常这种行为，家里的长辈一定会制止，因为他们认为这会造成身体的伤害。

确实，满头大汗后，用这些人为的冷却方法是会对身体造成严重的伤害。当身体满头大汗时，正在排泄身体燃烧后所产生的垃圾，这时如果直接吹冷气或喝冰水，会使身体局部的感觉器官很快冷却下来，并且将这个信号传送给大脑，告知身体已冷却的信息，身体随即终止其原有排除垃圾的工作。但是实际上这种冷却信号是外来的而只有局部冷却，不是身体真正完成了排泄工作后发出的信号。当身体将排泄垃圾的工作停止之后，那些还没有被排出的垃圾则被留在身体里。

並非肥胖的人容易得心脏病，
心脏病才是肥胖真正的原因。

更糟的是在人体满头大汗时，心脏是最热的器官，需要不断地散热，当外界的冷气或冰水打乱了身体的信息，会使心脏的散热工作也跟着突然终止，这种现象很容易造成心脏的严重伤害，心肌因散热不及而受损，使心脏的运行受到影响。

营养过剩的问题并不一定是肥胖真正的原因，冰水和冷气的不当使用很可能是肥胖更主要的因素。今日美国人用尽了各种减肥的手段，而人民肥胖的比例仍然不断增长的现象，很可能和他们长期以冰冷饮料为主要的水分来源，有非常密切的关系。

心包积液过多和心肌的疾病都会使得心脏的能力下降，进而造成身体体液流通的障碍，最终形成肥胖的体型。并非肥胖的人容易得心脏病，心脏病才是肥胖真正的原因。

不同体形的肥胖，有不同的原因

中医诊断学中的"望诊"，是非常重要的方法，其中又以"望形"最重要。"望形"时所"望"的就是肥胖的体形，也就是各个经络中垃圾堆积的状态。例如，前面章节提过的胆功能问题，会出现大腿外侧较胖或萝卜腿，即是"望形"的一种诊断实例。

全身性均匀的肥胖，是脾脏能力低下，无法把分散身体各部位的

并不是只有胖的人会有垃圾堆
积，瘦的人就是健康而没有垃
圾堆积。

废水送走所形成的。当脾脏把水送到了身体的中段，剩下的就是肾脏
再把废水排出体外。因此，当身体中段腰及臀部特别肥胖时，是肾脏
能力低下无法把废水排出去的症状，堆在肾脏所在的区域的废水和垃
圾，最终形成这种中段特别肥胖的体形。

另外额头上的皮下脂肪肥厚，以至于出现皱纹，主要由于该处的
上方是大肠经筋经过的部位，因此，可以断言这个人大肠中的病灶较
多；下巴两侧的脸颊肥厚，也是大肠经的问题。其上方接近耳朵的部
位较肥厚，则是小肠经的问题；正面脸颊，眼下及鼻子两侧较厚者，
则是胃部的问题造成的等等，都是依据经络理论所建立的诊断方法。

并不是只有胖的人会有垃圾堆积，瘦的人就是健康而没有垃圾堆
积。实际上肺气较弱的人，身体无法吸收水分，喝进去的水没有分布
到各个器官就直接排出去。如果这个人同时也有脾虚的问题，身体上
也会堆积许多垃圾，但是垃圾中的水分很少，多数的垃圾都处于失水
的状态，干干扁扁的，看起来不胖，摸起来很结实，黑黑瘦瘦的。

这种人一旦进行调养，当身体的血气上升到了阳虚水平，开始有
能力清除垃圾时，会很快的将垃圾充水，使它能在身体的组织间流
动，以便将之排出体外。因此，这个人会在很短的时间里，体重直线
上升，体积也快速膨胀。我们就曾遇到过这样一个例子，病人在短短

的几个月内，重了十几公斤，手臂也粗了许多。从一个黑黑瘦瘦的
人，变成了白白胖胖的。

肠胃问题是肥胖最主要原因之一

当脾脏的能力不足时，心包容易产生积液，使得心脏的能力降
低，心脏是人体血液的泵，当泵的扬程不足时，无法把血液顺畅的输
送出去，整个身体的活力都降低，人体经络中的体液不易流动，废物
就无法排出了。

造成脾虚最主要的原因，是身体的维修系统工作过于劳累，人体
在受伤或受到细菌的侵入时，会出现这种现象。人体最容易受到细菌
感染的部位，当然是最脏的肠胃了。由于脾虚的体质多半形成于幼年
时期，许多疾病的根源都和幼年的生活习惯有直接而密切的关系。

前一节谈到的儿童肠胃感染，会使幼儿形成脾虚的体质，心包经
经常阻塞，慢慢地愈来愈胖，而且容易流口水，这些"现象"其实是
脾虚的真正症状。从中医理论，脾虚时会出现"脾不束肌"的症状，
嘴唇的肌肉没有力量，幼儿又不像成人会有意识的加以控制，就容易
流口水了。

这些容易受成人唾液感染的幼儿，多数是比较受到成人疼爱的孩

那些经常在社区里串门子的可
爱孩子，多数长大之后都成了
胖子。

子，才会经常被喂食成人接触过的食物。当其逐渐发胖，加上流点口
水，更显得天真可爱，得到更多成人的疼爱，当然受到的感染也就愈
多。

那些经常在社区里串门子的可爱孩子，多数长大之后都成了胖
子。而且这些孩子由于从小就处于血气能量不足的状态，日后也不容
易长得太高，而形成矮矮胖胖的体型。这是最典型的"爱之适足以害
之"的例子。

这些幼儿的肠胃问题，有轻重之分，比较严重的人，在很小的时
候就成了小胖子；比较轻的人，直到年纪较大时，才变成为胖子；有
的甚至到了中年才开始发胖。

增加身体的能量，是减肥的第一课

从肥胖是能量不足的观点来看，当人体的血气能量不够时，人体
为了节省能量的支出，会减少一些比较不重要的工作，垃圾的排泄是
第一个被搁置的，因为这些垃圾暂时不清理，并不会对人体造成太大
的伤害。

从"能量不足是肥胖的原因"的观点所发展出来的减肥方法，当
然和大家熟知的"能量过剩是肥胖的原因"的方法有很大的不同。原

表面上肥胖的原因有二，一是
能量不够，二是经络不通。

来运动、节食、热量控制的手段，多数是消耗能量的方法，减少身体
的总体能量。而在新的观点看来，垃圾排不出去主要是能量不够，这
些方法会使能量更低，是反其道而行的。因此，减肥时不应该减少身
体的能量，反而要增加身体的能量。

在经络研究中，发现经络是人体血管系统外的另外一个体液流
场，这个体液流场负责将营养运送到细胞周围供细胞吸收，同时也将
细胞所产生的垃圾带走。因此，经络不通是垃圾堆积的另一个重要原
因。

传统的减肥方法中，运动具有强化心脏、疏通经络的功效，因此
仍然能达到减肥的目的。运动还有另外两个好处。一是会大量消耗人
体的能量，造成身体的疲倦感，使得晚上的睡眠品质得到改善，也会
增加睡眠的时间。二是运动消耗了大量的能量后，也会增加食物的摄
取量。因此，运动真正提升人体能量的功效，是其后续的饮食、休息
和睡眠增加，以及因运动而使经络畅通，身体机能正常，产生了更多
的血气能量。

综合上述结果，表面上肥胖的原因有二，一是能量不够，二是经
络不通。其中经络不通和能量不够有密切的关系，肥胖的人能量不够
的原因，主要是风寒的问题所造成的吸收障碍，当然还有睡眠习惯的

灵丹妙药就在身体里，却在外面不停的找。

问题。利用一式三招养生法，是减肥最简单的方法，也是养生最重要的功课，完全顺应人体自然运行规律。

在减肥的过程中，身体会出现许多变化。这些变化用目前普遍的观念来看，很容易产生误解，因而采取了不当的措施，这些措施经常会终止了身体的减肥过程。因此，在这里列出几种可能发生的现象，以及其正确处理方法。

减肥不是减重量，而是减体积

由于在养生过程中体内的血液总量会逐渐增多，也使得人体的骨髓和内脏中的含血量相对提高。这部分的重量改变并不会使人更胖，但会使体重增加，在目前以体重来衡量减肥成效的方法中，很容易被误以为又发胖了。

有了这部分增加的血液也就是血气能量，人体才有能力排除积存在体表的垃圾，这些垃圾的排除，会使体积减小，才能真正达到减肥的目的。

这时体重的变化必须考虑血气上升时增加的血液重量，再减去被排出去的垃圾重量，如果增加的血液重量大于排出去的垃圾重量，则

減肥不能用体重来衡量成效，
必须真正地测量体积。

_____

会出现"人瘦了，体重反而增加"的结果。由于血液的比重大于1，
而垃圾的比重只有血液的 70%，比较轻，这是非常可能出现的结果。
因此，减肥不能用体重来衡量成效，必须真正地测量体积。

发胖是减肥必要的中间过程

人体的垃圾主要是从身体的各个部位，透过经络和血管的网络系
统输送，再由相应的脏器处理后排出体外。身体内部的垃圾，除了在
消化系统中的食物残渣，会从肠道中以大便的形式排泄之外，其它非
消化道中的垃圾必定以液态的形式从小便或汗液中排出体外。

成年人的减肥，因脂肪堆积太久，逐渐形成颗粒或结成板块，使
得这些垃圾无法顺利透过人体运送垃圾的通道排出体外，身体必须先
将这些固态垃圾充水，使之稀释成较小的粒子，再随着体液的输送从
小便或汗液排出体外。

在垃圾充水的过程中，会使人先行发胖，体重快速增加，等到垃
圾排出去了再瘦下来，许多人一休息就发胖，就是人体休息时血气增
加了，立即进入充水过程。在充水过程时，会喝大量的水，小便并不
见增多，但体重却在很短的一两天内迅速增加 1～3 公斤；当排出垃圾

时，虽不喝水也会有大量的尿液，同样的也在一两天内迅速的减少1～3公斤。

通常皮肤愈黑，不常运动，但身体却很结实的人，表示脂肪堆积的情形也很严重，由于是肺虚的体质，使大多数垃圾的含水量偏低。因此，在身体调养过程中更容易出现大量充水的现象。由于每次排出体外的垃圾有限，多数人都必须反复经历相同的过程许多次，不断重复胖胖瘦瘦的变化，才能达到减肥的目的。

在这个过程中，可以发现原来很结实的部位，开始渐渐变得松软，最后再逐渐瘦下去。

原来就没有肌肉的人，有可能减得太瘦

当一直保持人体处于充足血气状况时，人体会将所有堆积的垃圾排除。如果原来缺乏运动，肌肉的体积太小的人，有可能一瘦不可收拾，甚至到了皮包骨的地步。

如果所用的减肥方法会对人体造成伤害，组织中会堆更多的垃圾，那么胖回来之后，就会比减肥之前更胖。

速成的减肥多数是将垃圾脱水

在许多减肥的广告中都能看到，那些减肥的药品可以在很短的时间就达到了减肥的目的，那些方法多数是利用脱水的方法，让垃圾中的水分快速流失。

从中医的理论，我们可以找到两种让人体快速失水的方法。一种是造成人体出现肺虚的症状，会使人体减少各个组织的供水；另一个是造成肝热的症状，会使人体出现"肝逼肾水"的现象。换句话说，只要把肝和肺弄出毛病，就能出现快速减肥的效果。这就像有些癌症患者，会在1个月之内失去10多公斤的体重一样。

这种脱水的方法，由于垃圾仍在体内，仍然是身体急欲去之而快的东西。因此，当体力恢复后，必定还是得将之清出体外。于是只要身体转好就立刻开始充水，人体就快速地发胖。这也就是多数的减肥方法，当停止了减肥措施后，很快就胖回来的道理。如果所用的减肥方法会对人体造成伤害，组织中会堆更多的垃圾，那么胖回来之后，就会比减肥之前更胖。

传统中医疏通经络的各种方法，包括针、灸、按摩以及疏通经络

身体健康了体内的垃圾自然去
除，人也就瘦了下来。

_____

的运动等，可以使身体经常维持在最佳运行的状态，组织间的垃圾更
容易去除，身体的各项机能也会更好，对身体整体的发展当然都是有
益的。也都能使身体达到减肥的目的。

　　这种减肥的方法，实际上是追求身体真正的健康，身体健康了体
内的垃圾自然去除，人也就瘦了下来。虽然需要的时间长一点，但是
从此建立了良好而健康的生活习惯，只要继续保持这种生活方式，不
但不会再胖回去，同时再也不受各种慢性病的威胁。

减肥实例

　　有一个患者，从小就是肥胖的体型，因此，家人对他的饮食严格
限制，越胖限制就越严，而且尝试了所有可能的减肥方法，仍然控制
不了他体重的上升趋势，到了18岁体重已经接近100公斤了。

　　经过诊断，其实他并不如西医所说的没有病，只是单纯的肥胖。
他的一双大腿内侧脂肪堆积得极厚，走路时两腿内侧会互相摩擦，严
重时会造成破皮。大腿内侧是肾经通过的部位，肾经的垃圾堆积多，
说明他的两个肾的能力都很差。大腿外侧脂肪也很厚，这是胆经的能
力不够所致。胆经能力不足，胆汁分泌一定偏少。这些都是明显疾病

任何时间只要有机会，而且想
睡，就尽量睡。

的症状，只是没有不舒适的感觉而已。

由于长期的节食，营养不良，血气能量太虚，以至于连身体内的
垃圾都排不出去，在全身到处堆积了垃圾，也就是我们所看到的肥
胖。因此，减肥的第一步就是要求他改善生活习惯，增加血气能量。

首先，就是要改善生活习惯增加血气能量，首先请他的母亲，安
排三餐正常的饮食，而且开始时尽量让他吃营养好的食物，只要吃得
下就让他吃。这一点他非常开心，因为从小他就没有好好吃过。其
次，要求将原来每天的晚睡习惯，改变成每天晚上8、9点就睡，只要
时间许可，想睡多久就睡多久。任何时间只要有机会，而且想睡，就
尽量睡。同时要求每天要做敲打胆经的功课，先这样回去好好养一个
月再来。

一个月以后，虽然不控制饮食，体重并没有增加，也没有减少。
原来想尽方法的节食，都不能阻止发胖的趋势，现在每天没有限制的
吃和睡，按照他过去的经验以及传统的观念，他担心一定会胖得更
快，他的家人也都很担心。实际上这个担心的结果并没有发生，一个
月下来，体重没有变化，患者初步相信，吃、睡和肥胖并不一定有直
接关系。

接着教他的家人为他进行经络按摩，主要是按摩他的胆经和心包

血气能量差，没有能力处理垃
圾，垃圾越积越多，人就越来越
胖。

———————————————————

经。他的饮食还是没有要求任何节制，继续加强睡眠和定期经络的按
摩。3个月后患者明显瘦了许多，在吃、睡完全放任的条件下，体重
减少了8公斤。

　　这个患者，从小就有肠胃的感染，形成了脾虚的体质，进而影响
心脏，使得心包上的油脂特别肥厚，加上能量一直不够，母亲从小就
严格限制了他的饮食，使他根本吸收不到足够的营养。血气能量差，
没有能力处理垃圾，垃圾越积越多，人就越来越胖。越胖就越不敢
吃，越不敢吃，血气能量更差，垃圾就越排不出去，形成了恶性循
环。

　　如果他母亲从小不去管他，让他想吃就吃，想睡就睡，可能他现
在反而不会这么胖。因此，减肥的第一步，首先要养足他的血气能
量，再利用经络按摩，协助去除心脏外面肥厚的油脂，使心脏的搏动
恢复正常的能力，让皮下组织中的体液能正常流动。将垃圾逐步运出
体外，人就会慢慢瘦下来。这种方法需要比较长的时间和正确的观
念，但是由于彻底地清除了垃圾，达到真正的减肥。

第八章 **慢性病的调养**

　　记得小时候，父亲在 40 岁时，患了风湿病，不能走路，当时我最深刻的印象是"那是一种不会根治的可怕疾病"，后来父亲到了 55 岁时，又患了大肠癌。癌症意味着死亡，当时对全家可是晴天霹雳，父亲的工作是全家人唯一的收入来源，这种疾病会改变全家稳定的生活。父亲幸运地度过了癌症的劫难，到了老年，又患了糖尿病。自从得了风湿病之后，父亲就不停地吃药，就像西方人的饭后甜点一样，每餐饭后，总看到父亲吃下各种颜色的药。

　　这是父亲一生中曾经罹患的疾病，也是许多人都会面临的疾病。这些疾病都是常见的慢性病，每一个人放眼周围的亲朋好友，都会有人患上这些疾病。这些病最困扰的是没有根治的方法，却有一大堆的禁忌。一开始吃药，就永远不能停，从此就成为医院里长期的病人。通常这些病人都是家庭的男主人或女主人，整个家庭就此蒙上永远去不掉的阴影。

　　中国人有一句话"真药医假病，真病无药医"，这句话的真义其实是说明真正治疗人体的并不是那些药而是身体自己的能力。从人体外部的一个小伤口到内部脏腑里的严重疾病，都是只有身体自己才能治。而身体治病的能力完全依赖身体是不是有足够的血气能量，和各个脏腑的运行是否正常。出现疾病时，人体有没有能力对抗外来细菌

灵丹妙药就在身体里，却在外面不停的找。

或病毒的侵袭，有没有能力把受损的器官修复。

　　大多数人都有一种经验，在年轻时身上的小伤口很容易复原，随着身体的老化和衰弱，伤口的自愈能力愈来愈差，需要更长的时间。这种现象就说明人体的修复能力和血气的高低有密切关系。

　　人体在不同的血气水平时身体的各种反应都会不同，就拿伤口的复原来说，大家都知道糖尿病的众多症状中有一个是伤口非常不容易复原。这就说明糖尿病的病人血气非常低。

　　接下来的章节是针对我们有实际经验的慢性病，从血气能量观点重新理解每一种慢性病的病理，再从中发展出治疗方案。有一点必须声明的是这些病理是从血气能量的观点所做的分析，在未来还需要更多的实证才能成为真正可用的方法，在这里提供给读者的目的，是让读者在选择养生疗法时，对于许多难以理解的状况出现时，可以从另一个角度思考身体的变化。

　　在多数的科学领域中，都经过哲学、理论科学、实证科学三个步骤和方向的发展，互相影响推动整体的进步。例如物理学中就有理论物理和实证物理的区别。许多新的科技都是在理论出现许多年之后，才能走向实用。

　　在医学领域，由于直接涉及人的生命，同时近代医学最重大的进

无论是现代或未来高超的解剖
技术，都不可能从解剖中找出
心识和灵魂造成疾病的原因。

步都来自实证，因此实际上现代医学并没有理论医学这门学科，仅有
实证医学，所有理论和方法都必须有实证才能被接受，所有实证都必
须具备眼见为真的条件。

解剖学是现代医学最重要的根据，所有的理论都需要在解剖学中
予以证实，也就是必须眼见为真。由于人体有许多方面都和现代的计
算机很相像，因此，这本书反复用计算机系统来比拟人体，这里再用
一次。

我们都知道现在的计算机是由硬件和软件组成的，如果我们不知
道软件的设计原理，直接解剖硬件是不可能找出软件的真相，也不可
能修复一个完整的计算机系统，甚至没有任何证据可以证明软件的存
在。

人体的运行和计算机非常相像，计算机有硬件、应用软件和系统
软件三个部分，人体也有身、心、灵三个部分，现代医学也有愈来愈
多的证据认为这三者都可能是疾病的原因。无论是现代或未来高超的
解剖技术，都不可能从解剖中找出心识和灵魂造成疾病的原因。就像
解剖计算机无法证明软件的存在一样，解剖人体是不可能找出心识和
灵魂存在的证据，但并不能就此否定心识和灵魂的存在。

单纯的实证医学是不可能发展出真正能使多数慢性病痊愈的技

术，现代的医学体系必须尽快建立理论医学体系，建立多种不同哲学观点的理论系统，再从中进行大量的验证之后，才有机会找出真正能使慢性病痊愈的方法。

接下来的章节，即是以这种观点所建立的初步理论模型。我们用这样的模型指导患者进行调养，虽然没有足够的样本，但成功的机会很高。

痛风的调养

在网络上的"医疗大百科"中对于"痛风"的成因和症状的解释如下：

痛风

痛风是极普通的毛病，患者多为男性。

成因：

血液中散布太多的尿酸会造成痛风，而原因可能是身体制造了过多的尿酸（如血癌类的恶疾），或是身体排除尿酸的速度不够快（如肾脏出毛病的时候）。此外，使用利尿剂也会增加体内的尿酸。

症状：

不论原因为何，只要血液内有太多的尿酸，它的结晶体就会落在关节处并使之发炎，这样到底有多痛呢？只要想像把一大堆针状的尿酸结晶体丢入手肘、脚趾、手指、膝盖或手腕虚的关节内，然后试着去触碰或转动这些地方，您就知道多难受了。痛风无法根治。我们虽可以舒缓它发作时的疼痛，也能预防它再度发生，但是致病的根本原因却永远存在。

如何预防发作：

预防痛风发作的重点在于长期服用药物来降低体内尿酸的含量。如果您体内尿酸太多是因为身体无法排除它，建议您服用 sulfinpyra-zone（Anturane），每天 200－400 毫克，分几次服用，它能帮助肾脏将尿酸排除在尿液内。阿司匹林会阻碍 Anturane 的功效，因此应避免两者同时服用。如果尿酸太多是因为生产过量，我则建议您服用 300 毫克的 allopurinol（Zyloprim）锭剂一颗，来抑制尿酸的制造。身体接受 Zyloprim 和 Anturane 的程度大致良好，但是偶尔会有红疹的情况发生，而且 Zyloprim 有时候还会影响肝功能，因此服药期间最好每年定期去作验血检查 1～2 次。如果这两种预防性药物还无法防止痛风的发作，不妨每天再加上 1～2 颗 0.6 毫克的秋水仙素（colchicine），它对痛风引起的急性发炎关节有特别的效用。

禁食食品：应禁食酒类、咖啡因、鳀鱼、肉类及动物内脏，如肾、肝、脑、胰脏等。一些会增加尿酸含量的蔬菜，如芦笋及洋菇等也属于禁忌品。不遵守以上饮食约束的人常得承担痛苦的后果。然而即使再合作再谨慎饮食的人，痛风仍然可能发作，原因不外是压力太大引起极度地焦虑、深恐要开刀，或是受了感染或是利尿剂的关系，或者根本毫无理由。

当一个初次被医生诊断得了痛风的人，上网看到这样的说明，相信一定会非常沮丧，居然染上一个不明原因，也没药可治的病，虽然要不了命，但痛起来要人命。最糟糕的是想到这个病将和自己共度余生，心情的低落可想而知。

这样的解释是现代医学对于痛风的基本看法，认为痛风的直接原因是尿酸引起的，但对于尿酸的成因就没有再深究了。同时直接的断言痛风是无法根治的疾病，而且致病的原因永远存在。

再看其治疗所用的药物，几乎全是化学药剂，最难以让人接受的是最终明确告知大众，所有这些治疗和预防的措施可能会无效。这是现代医学面对慢性病典型做法，充分显现出其面对疾病的无能和不负责任，好像病人得了病不是什么大不了的事，没有人需要负责治愈，但药还是要卖，钱还是要赚的，而且所开的药都是每天得吃的，必须吃到离开世界为止，这样的逻辑最符合药厂的利益。

明白了痛风的原因，治起来
就不难。

从中医的观点，痛风并没有那么悲观，痛风的人多半有两个共同的症状，即是身体经常处于心包积液过多和肝热的状态。

痛风的患者多数都有肠胃的问题，肠胃的问题会导致心包积液过多，心包积液过多会使心脏泵血的能力低落，血液无法送到处于微血管末梢的关节，造成关节部位垃圾的堆积，堆积的垃圾主要是尿酸晶。

尿酸晶的形成则和肝热有密切的关系，肝热的人小便特别黄而味重，小便中尿酸的比例特别高，这些尿酸堆在关节中会造成痛风，堆在肾脏里则成为肾结石，非常恼人。因此，当这种现象出现时，就应该特别注意保养了。

明白了痛风的原因，治起来就不难。由于这种病痛起来要人命，因此，缓解疼痛的方法非常重要。疼痛发作时尿酸晶已经存在关节里，要缓解其疼痛，首先要将其排出，至少使之离开原来的位置。这时按摩心包经，使心脏恢复正常的能力，将血液送至关节，才能使尿酸晶移动，甚而排出，症状即能缓解。

按摩的顺序是先按昆仑，接着按膻中，再按**内关**（图十七），以及心包经其他的穴位。由于发病时这些穴位都是不通的，因此按起来一定特别痛。这种按摩是痛风患者每日必做的功课，只要经常按，疼

很多人身体力行地奉行本书中
的一式三招及健康观念，健康
真的就这么得到了。

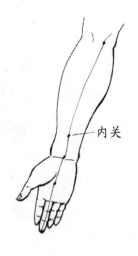
内关

图十七 内关属心包经，在
前臂掌面的下段。

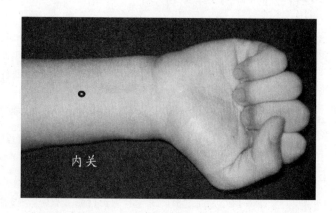
内关

改变生活作息也是治疗痛风最
根本的手段之一。

痛几乎不会发作。长期下来不但新的尿酸晶不会在关节处堆积，原来
堆积的尿酸晶也会愈来愈少，甚至变形的关节都有可能慢慢恢复。因
此这个方法可以说是标本兼治的手段。

　　但是光是按摩心包经是不够的，还必须使肝热现象所造成的影响
减到最小。当然最好是彻底消除肝热的产生，这就需要用到一式三招
的另两招，早睡和敲胆经了。当血气充足时，身体是不容易产生肝火
的。因此，改变生活作息也是治疗痛风最根本的手段之一。

　　当痛风发作时，还可以利用热水泡脚缓解肝热，或者其它章节所
提到的按摩或针灸太冲穴也是消除肝热很好的方法之一。

　　利用一式三招来对治痛风是非常简单而且有效的方法，可以快速
消除痛风的疼痛，如果按摩技术良好，彻底使心包经通畅，一次的按
摩有时可以达到一星期都不会发作的效果。

过敏性鼻炎的保健

　　过敏性鼻炎是现代人很普遍的疾病，多数人都认为是现代空气不
好造成的，特别是有些人换了一个地方，病就改善了。例如，从台湾
到美国，刚到的一段时间，这个病就好了，但是有些人过一段时间又
复发了，也有人从此不再发作。

过敏性鼻炎只是身体大量或反

复进行排泄寒气的症状。

所谓过敏性鼻炎，主要的症状就是鼻塞、打喷嚏、流鼻水等症状，这些症状和感冒非常类似，但是并没有咳嗽、发烧、头痛等感冒的症状，同时，由于发病的频率很高，因此称之为过敏性鼻炎，这些都是从西医的逻辑来看的论断。

从中医的观点，中医并没有过敏性一类的疾病名称。这些症状是寒气从体内出去的现象，在前面讨论寒气的章节中，我们对这些症状已有很详细的说明，过敏性鼻炎只是身体大量或反复进行排泄寒气的症状。

对于存在身体内的寒气，人体的修复系统会等人体有了足够的能量时，进行寒气的排泄，但是以现代医学治疗寒气的方法，并不会把寒气排除，只是把身体出现的症状压制下去就算痊愈了。

但是那些寒气还是存在身体里，身体只有等待血气能量更高时，再发起新一波的排除攻势，但是，多数时候患者又用药将之压了下去，就这么周而复始的进行着，很可能反反复复多次所对付的都是同一个寒气。如果这种反复的频率很高，间隔的时间也很短，就成了过敏性鼻炎。

了解了过敏性鼻炎形成的原因，就能找出根治的方法。首先必须使血气能力快速提升。在血气能力提升至足够驱除寒气的水平时，人体自然会开始进行这项工作。这时候最重要的是不应该再用抗过敏的药或感冒药，单纯的将症状消除，将寒气仍留在身体里。而应该让人体集中能量将寒气排出体外。对于病发时打喷嚏、流鼻水等不舒服的症状，只有耐心的忍受，让寒气顺利的排出体外，这时能做的就和前面章节所说寒气的排除相同的方法。

由于每个人在体内留存寒气的程度不同，因此，治疗的时程也不同，只要有耐心和恒心，必定能够完全摆脱这个恼人的疾病。

我自己从十几岁就得了过敏性鼻炎，还在医院里开过鼻窦炎的刀。前后病了将近30年，期间吃遍了各种过敏的药，都是开始时有效，一段时间就必须慢慢的增加剂量，最终还是全部无效。

直到学会了这套方法，花了好几年的工夫才慢慢地将之根治，调养期间几乎整年有一半以上的时间都在不停地打喷嚏，连续打了好几年的喷嚏才把大多数的寒气赶完，现在还有部分较深的寒气存于体内，但打喷嚏的几率已经减为一两个月才一次，每次一两天就好了。

婴、幼儿的寒气

现代的产房，愈具规模的医院，冷气开得愈强。这是从"低温能抑制细菌"的观点设计的产房。同时在产房工作的医生和护士，接生

现代超低温的产房，就算有最
好的设备和医生，并且完全消
了毒，也是最不卫生的。

时需要很大的体力，为了避免满头大汗，所以把产房的温度设定得很
低，根本没有考虑到在这个房间里最重要的客人"婴儿"的需要。婴
儿在母亲肚子里时，周围的温度是摄氏 36~37 度，外面的冷气开到摄
氏 20 度左右，温差很大。婴儿一出来没穿衣服，就暴露在这么冷的气
温下，不但要剪除脐带，还要磅体重，折腾个 10 多分钟或者更长的时
间，再强的身体也受不了。

中国人的许多古装电影或电视剧中，经常都能看到剧中如果有生
小孩的场景，房间的布置首先就是要密不通风，其次当确定要生了，
立刻就得烧热水。房间中热气腾腾，产妇和助产士，必定是满头大
汗。但是在这样的产房里，婴儿是最舒服的，温度和母亲的肚子里最
接近。在这样的环境出生的婴儿，受到寒气伤害的机会最小，这才是
最合乎健康的环境。现代超低温的产房，就算有最好的设备和医生，
并且完全消了毒，也是最不卫生的。

在台北只要看到脸上寒气很重的孩子，我几乎就能猜到孩子在哪
一个医院出生，反正往台北几家较著名而且产房温度特别冷的医院猜
准没错。听说台湾儿童胆道阻塞和过敏性鼻炎的比例愈来愈高，很可
能和产房温度有密切关系。从中医的观点来看，产房温度愈低的医院
出生的小孩，得这些病的比例应该愈高。

当婴儿在接生时受了寒，就像在前面几章所说会使胆的功能降低，婴儿的吸收能力大幅下降。由于营养的吸收不良，对婴儿的伤害很难估计。轻微的不过使婴儿长期体弱多病，严重的可能造成发育不全，如果因而造成脑部的发育不全，影响就更大了。我甚至怀疑一个得了轻微唐氏症的孩子，根本就不是遗传造成的，而是出生时太冷的产房造成的结果。这个孩子出生时还算正常，随着年龄的增长，唐氏症的症状才慢慢显现，其症状也较遗传性唐氏症的小孩为轻。

只要回忆当初生产时，如果产房的温度是很冷的，那么您的孩子不可避免的必定有很重的寒气。寒气的特征主要在皮肤的颜色，肺气本来就较弱的孩子，身体被寒气击溃时，皮肤的颜色呈现出较黑的状态，同时孩子也较瘦，也就是黑黑瘦瘦的孩子，是肺虚的典型症状。肺气天生较强的孩子，通常都长得壮壮的体型，这种孩子很容易形成寒气和肺气在体内对峙，孩子的脸色和身体的皮肤呈现较为苍白的颜色，这是肺实的症状。

由于两种情形都会造成营养吸收不良，所以脸上都很难有血色。有些家长皮肤较黑，常常会以为孩子的黑皮肤是来自遗传，其实是家长的身上也存了许多寒气所致，正常中国人的皮肤颜色应该是略黄带点血色，健康的孩子则应该是白里透红的气色。

出生时受寒的小孩，调养时最重要的就是先让其胆功能恢复，可以用成人敲胆经的方法，也可以由成人帮小孩按摩胆经，使其能正常吸收营养，同时将睡眠时间调整到每天晚上的 8:00～8:30 上床，力求创造出最佳的造血条件，让身体血气能量迅速上升。由于幼儿疾病累积的时日并不长，因此，只要调养得法，进展会非常快，大约两三星期就会出现好转的变化。

最早的变化多数是开始出现感冒的症状，可能会拉肚子或打喷嚏、流鼻水，这是开始将存在身体内部的寒气排出体外的现象。因此，处理的方法必须放弃原来以西药中断症状的处理方式，改以中医的方法，协助孩子将寒气排出体外。

一方面可以找中医开方，用中药协助将寒气赶出体外。另一方面也可以用简单的按摩方法，缓解孩子的症状，最重要的是必须尽量让孩子多休息、多喝水，集中所有体力对付寒气。按摩时主要按摩手臂上的**肺经**和胸前的**肺经别**（如 P80 图六）。由于孩子的皮下脂肪很薄，因此，按摩时只要在孩子的经络上轻轻推摩即可。孩子可能需要反复几次的感冒症状，才能将寒气完全赶出体外。在这个过程中，孩子的脸色会明显的改变，愈来愈白，逐渐出现光泽，最后显现出白里透红的健康气色，调养才算完成。

灵丹妙药就在身体里，却在外面不停的找。

这种调养的方法适用于不同年龄的孩子，唯对较小的孩子，在按摩时必须用很轻的力道，避免伤及筋骨。

失眠的调养

失眠是一件非常复杂的事，有许多原因会造成失眠，不同的原因会有不同的失眠状况，也必须用不同的对治方法。

当身体处于肺热状态时，嘴唇发红，必定失眠。这种失眠，只要喝喝姜茶，让身体顺利地排除寒气，肺热状态消失了，就能睡。另外按摩手上肺经的尺泽穴泄除肺热，也能适当改善。这种失眠只是偶尔出现，不会形成长期的状态。

当身体处于心火盛、肝火盛时，也会出现肺热的现象，这时就需要先泄除心火和肝火。心火和肝火的产生，主要是发怒或工作紧张，必须去除这些因素才能长期的改善。短期的改善可以透过泡热水脚，使肝气疏泄达到目的。

我们由意志所设定的睡眠时间和身体的睡眠时间冲突，也会形成失眠，这种失眠是最普遍的一种。

身体在中午时常常想小睡一会，可是很多人都把这个"坏"习惯戒除了；到了傍晚时累了，我们再用意志力克服它；晚上八九点又困

身体想睡，你不让睡，等你想

睡时，身体已经不想睡了。

了，我们忙着做杂事没时间睡。

这几次用意志力对抗身体，身体只好产生肝火，提供透支的体力能源，满足我们意志上的要求。等一切忙完，我们终于可以入睡时，身体火烧得正旺呢，身体不想睡，于是失眠了。

身体想睡，你不让睡，等你想睡时，身体已经不想睡了。严格地说这不能算病，是人们不会正确使用身体造成的结果。

对治这种失眠最好的方法，是放任身体自然地睡，想睡就睡，不想睡就不要睡，大约两周后，应该就能正常。我称这种方法为听身体声音的失眠自然疗法。

但这种听身体声音的方法并不是那么容易，我们的意志力已经控制身体很久了，不习惯也不会听身体的声音。

就像我们的饮食习惯也是一样，长期都是依照我们所知道的各种知识来吃。应该也可以用听身体声音的方法，找出身体想吃的东西。可是长久以来我们只会用自己的意志吃东西，很少听听身体想吃什么。

在这个医学还处于对身体了解极为有限的时代，利用现代医学的知识吃，远比相信自己身体的智慧吃，来得愚蠢得多。

另外，心事造成的失眠，只有解决心事的问题，对治好原因，才能阻止结果的产生。因此，无药也无法可治，只有靠安眠药直接去除结果一途。

再生障碍性贫血

这是一个听起来很可怕的疾病，依照目前的医学方法只有移植骨髓一途。其实这种患者有很大一部分是生活习惯不良，或幼年时感冒用药不当所致，因此，首先必须针对病人的情形进行判断，找出造成这个疾病的原因。

很显然，这个疾病的问题出在造血系统，而这种疾病多半不是刚出生的婴儿。因此，可以判断病人早期仍有造血的能力，也就是身体并不是天生就没有造血的机能。那么后来出现失去造血机能的症状，并不是造血机能损坏或消失了，应该是没有提供身体造血的条件和环境而已。

这本书中，介绍了人体血气上升的方法，就是让人体加强造血机能。部分患了这个病的人，不是小时候风寒太重，以至于胆机能不能正常发挥，人体不能吸收造血所需的营养；就是生活不正常，长期过着日夜颠倒的夜生活，没有提供人体造血的环境。

这两种情形，睡眠的部分，病人自己稍作分析就能了解；胆的问题需要找一个有经验的中医师，就能诊断出来。

原因找到了，治疗就不是难事了，只要实施敲胆经加上早睡，再假以时日，是有机会痊愈的。

实例一

第一个患者开始调养时，血色素4.2克(正常值10克以上)，血小板不到1万(正常值10万以上)，经医院诊断为再生障碍性贫血。据了解，患者睡眠没有问题，原来就有早睡早起的习惯。他主要是人体的吸收能力发生问题，也就是胆功能的问题。从中医的理论推断，患者可能是在幼年时受过严重的风寒，当时的处理不当，寒气长留患者肺中，形成严重的肺虚状况，使得人体的吸收能力大打折扣，人体的造血功能所需的材料不能顺利产生，久而久之就形成了这个病症。

我们所提供的保健方法，就是利用推拿方法，疏通患者的胆经，使患者的胆汁能正常分泌，改善患者的吸收能力，使患者能够产生更充分的造血所需蛋白质。在经过两个月的调养过程后，患者有很大的改善，血色素达到8.6克，血小板也达到10万。造血机能恢复正常，患者脱离了这个疾病的威胁。

实例二

这是一个小夜班的工作者，与前一个患者有相同的肺中寒气问题，使得长期以来营养吸收不好，患者的血气一直处在低水平的状态，并不断地下降。

学校毕业之后，他找了一个小夜班的工作，每天晚上 10 点才下班，下班后必定出去玩到两三点甚至更晚才回家。这样不正常的生活方式过了半年就发病了，发病时的血色素只有 2.7 克，血小板不到 1 万，经医院诊断为再生障碍性贫血。

我们给患者的保养建议，首先要求患者先输血，先后两次，共输血 1600cc。第一次输血后，血色素立刻升到 4.2 克，第二次输血后，再升到 5.1 克。通常这种患者，输血可以立即改善各种血液的指标，但是随着时间的过去，外来的血液死亡之后，人体不再产生新的血液，各种指标也就跟着下降了。

我们要求患者输血后，再进行胆经的推拿，改善患者的营养吸收能力。同时要求患者改变睡眠时间，严格执行早睡早起的规律生活。透过推拿的手法，协助其容易入睡，改善患者的睡眠是我们治疗过程

任何疾病只要患者能睡得香甜，
睡醒的第 2 天，血气必定比前一
天好。

中的主要工作。患者不容易入睡，必定是肺热造成的，只要泄除了肺热，就可以入睡了；患者睡不沉，必定是肝热造成的，只要泄除了肝热，就能让患者睡得沉。

　　患者输血后，随着时间过去，各种指标不但没有像其他患者一样持续的下降，反而不断上升，3 个月下来，血色素就上升到 8.6 克，血小板也上升到了 10 万，完全脱离了疾病的危险。也就是说睡眠改善了之后，造血机能就恢复了。骨髓检查也从原来的黄水，变成了红细胞了，医生正式宣告他的造血机能恢复了。

　　任何疾病只要患者能睡得香甜，睡醒的第 2 天，血气必定比前一天好，只要一天比一天好，就一天一天远离疾病和死亡的威胁，时间长一点自然有痊愈的一天。反之，如果患者一直都无法在正确的时间好好睡眠，则康复的机会就很渺茫了。

　　因为，只有睡得好，营养吸收得好，人体才能产生足够的能量，来启动自我治疗的能力，只有人体的自我治疗能力能够真正克服各种慢性病。外来的药物，最多只能控制疾病的症状，并不能真正的根除疾病，只有协助患者启动人体与生俱来的自我治疗和再生能力，才是正确的医疗手段。

　　如果是先天性的再生障碍性贫血，这个孩子出生后会在很短期间就发病，存活的机会必定不大。多数得了这个病的人，都是在长到一定年龄之后才患病，也就是先天仍具备造血的能力，必定是后天不良的生活习惯或受其它疾病影响才会失去造血的能力。

造血机能最重要的只有两个条件：一是具备造血材料，也就是胆功能必须正常；二是必须在上半夜人体造血机能运作期间有充足的睡眠，使身体能有充足的时间造血。因此，不幸患了这个病时，应检讨自己在这两个条件上是不是有所缺失，就能找出疾病的原因，自然也就能找到痊愈之道。

部分这项疾病的病人，由于长期劳累导致造血因子的病变，致使造血机能出现障碍，虽然这种养生法也能使其逐渐改善，但痊愈的机会很小。因为，这种病人需要长期输血以弥补血红素的不足，输血会由于血液品质的无法掌握，而造成无法控制的风险，常常由于一两次血液品质的不良，使身体状况立即下降，这种养生法的功效就大打折扣。

哮喘及长期咳嗽

哮喘是一个困扰了许多人的疾病，著名的台湾歌星邓丽君小姐就是死于这个疾病所造成的窒息。这个疾病之所以为害，就在于其发病时会在很短的时间造成死亡，实际上得这种病的人血气都不低，经常都是前 1 个小时仍然很健康，过了 1 个小时即已天人永隔，对家人造成难以接受的冲击。

在讨论这个疾病的病理之前，先介绍这个疾病治标急救的方法。

当患者发病时，应立即针灸或按摩患者的**太冲穴**(如 P124 图十六)，并用手由上往下在胸口进行顺气式的按摩。

除了前述治标的方法之外，再依养血气的方法，进行长期养生保健工作，假以时日是可以达到完全痊愈的理想目标。

哮喘发病的症状，是人体呼吸通道的气管进口部分，被大量的痰所覆盖，阻碍了空气的进入而造成的。轻者痰少，产生咳嗽的症状；重者痰多，产生哮喘的症状。这个症状的形成有两个必要条件，一是生痰的器官，二是使这些痰上升的肝气。

首先谈谈生痰的器官，一般人或多数的医生都认为哮喘时的痰来自肺部。但是根据《黄帝内经》的说法，人体的五脏六腑都会生痰，都会造成哮喘的症状。在这里只讨论肺和肠胃造成的哮喘，其他脏器造成的哮喘，由于原因非常复杂，暂时不讨论。根据我们的经验，肺和肠胃所造成的哮喘，占哮喘患者的绝大多数。

实际上大约有一半以上的哮喘患者，气管上的痰不是来自肺部，而是胃或小肠，从患者痰的颜色就能分辨其来源。肺里出来的痰，由于含有空气中的灰尘，因此，颜色为灰色，其间挟杂有些灰尘的颗粒；胃和小肠里出来的痰，颜色则是黄色和白色，没有其它颗粒的掺杂。痰的产生多半是该器官有病，人体的诊断维修系统进行修复工作后遗留下来的废物。

　　肺里的痰造成的哮喘，患者只要受寒就发病(冬天特别容易发病)。肠胃原因造成的痰引发的哮喘，患者常常在暴饮暴食后的一两个小时或一两天内发病。在春天或夏天当气候变暖时，也会由于肝火和心火的上升而发病，当然一生气使肝气上逆，更是发病的主要原因之一。

　　无论在肺、胃或小肠，这些器官的位置都比气管低，痰之所以能够流动到气管，主要是有一股上升的肝气，逐渐将痰推上去造成的。肝气的发生主要是肝里有病，或情绪受到刺激，就容易使患者发病，所以常常看到患者发脾气时，人一激动就喘。

　　根据这样的哮喘模型，拟订的保健方法就很简单，治标的方法是先去除上升的肝气，尽快地终止哮喘的症状，这样可以使患者的症状暂时得到缓解。方法是针灸或按摩太冲穴，引导上升的肝气向下宣泄，这也是急救时的方法。患者由于疏泄了上升的肝气，哮喘暂时不

发怒时身体会产生气，
所以称之为生气。

会发作，但是仍然必须避免生气，严重的生气随时会使哮喘发作。

经常用热水泡脚，也是一个疏泄肝气的方法，但这种方法可以用来作为平时保养，急救时则缓不济急。

这样的保健，几乎立即就能缓解患者的症状，只要持续 2～3 周，就暂时不会再发作。但是追求痊愈的保健就需要更长的时间，彻底去除发病的根源，也就是解决生痰器官的疾病。

患者肝的问题，有些来自父母的遗传，有些由于工作劳累，或饮酒过量，发脾气或精神受到强烈刺激等，许多可能的原因。

无论哪一种原因，都能用这个方法将肝气去除。上升的肝气除了会造成哮喘之外，也会使人睡觉时容易惊醒、多梦，也就是睡得不沉，半夜醒来不易再入睡。因此，按摩太冲穴是很重要的保健方法，平常只要摸摸头顶，温度比身体其它部位高很多，显示肝气太盛了，就应该按摩太冲穴或泡泡热水脚。

虽然知道生气会伤身体，我们毕竟还是人，总会生气的，生了气的补救方法就是针灸或按摩太冲穴，使上升的肝气向下疏泄，把生气对身体的伤害降至最低。

治本的方法，则需要透过中医的诊断，确定生痰的器官，然后调整生活和饮食习惯。例如肠胃喘的患者，应避免吃得太饱，完全忌吃

血气继续增长，经常处于血气
富余的状况，可以让哮喘完全
痊愈。

生冷的动物性食物，同时避免饭后立即运动，减少哮喘发病的机会。
肺喘的患者，建议尽量避免受寒和生气，然后依照一式三招的保健方
法，养足血气把寒气排出。

这样的保健方法，患者在调养过程中，养成良好的生活习惯。同
时，也明白不正常生活习惯对健康所造成的危害，因此，会自动的维
持长期规律的生活。血气继续增长，经常处于血气富余的状况，可以
让哮喘完全痊愈。从此身体就算有了小毛病，人体诊断维修系统也会
自动处理，治好了哮喘，从此和所有可怕的慢性病绝缘，健健康康地
享受人生。

坐骨神经痛

坐骨神经痛疼痛的部位有很多种，大多数是大腿外侧到脚部的抽
痛或疼痛，这里所讨论的就是指大腿外侧到脚部的疼痛。一般的疼
痛，从现代医学的诊断认为是神经痛，但从中医的诊断来看，则认为
是经络痛，神经只是让人能够感知疼痛部位的通信系统。大腿外侧只
有**胆经**(如图八)一条经络，多数的这一类疼痛是属于胆经部位的疼
痛，从经络的观点应是胆经不通所造成的疼痛。

当身体出现不明原因的疼痛时，应仔细分辨疼痛的部位，再核对

经络图找出疼痛的经络，就找到了疼痛的原因。再依中医的医理分析，就能够找到治好疼痛的方法。常见的疼痛除了坐骨神经痛外，还有背痛、肩膀痛、偏头痛等，都是一样道理。

当胆经发生疼痛时，按摩肺经的尺泽穴会感觉非常痛，压住正确的穴位后，停留在穴位一分钟，只要压住，不需要揉动，可以立即止住疼痛。经常按摩**尺泽穴**(如 P46 图三)，可以逐渐减少发病的几率。

这种治标的原理是身体排除寒气时的症状之一。当肺排除寒气时，会使胆的功能受阻，当胆经受阻的情形严重时，就造成了胆经疼痛，也就是现代医学诊断的坐骨神经痛。由于疼痛是由肺热引起的，因此，按摩肺经可以疏解肺热，肺热消除了，胆经立即就不痛。

如果疼痛发生于季节变化时，由于春季肝的升发或夏季心火的旺盛，都会因为脏腑平衡的原因，造成肺热的症状，因此，保健时春天须先去除肝热，夏天则先去除心火再去除肝热，如果还不能去除疼痛时，再按摩肺经卸除肺热。

秋天时则直接按摩肺经，多数都能缓解疼痛。冬天肝气会由于肾气下降而相对上升，因此，必须先按摩**肾经**（图十八），再按摩**肝经**（图十九）和**肺经**（P80 图六）。

由于肺和胆的问题通常都不是短时间形成的，特别是发生了胆经多数慢性病，是我们错用了身体的结果。我们需要的，不是灵丹妙药，而是一本正确的人体使用手册。

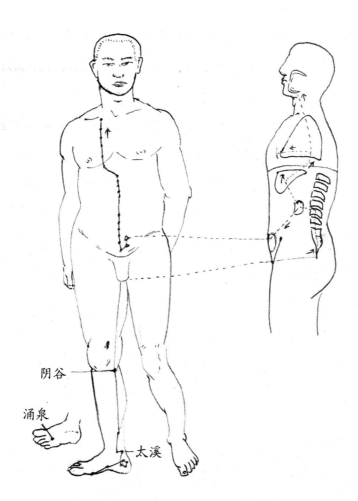

阴谷

涌泉

太溪

图十八　肾经

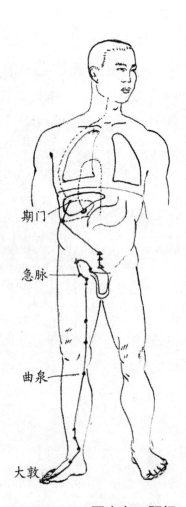
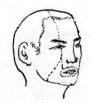

期门

急脉

曲泉

大敦

图十九　肝经

疼痛症状时，问题必定已经相当严重了。因此，不可能在短期内完全消除疾病，必须先培养血气，血气能力达到相当充足的水平，人体才有能力逐渐去除肺中的寒气。寒气去除了，胆功能才能逐渐恢复。

明白了整个疾病的原因，一方面在心理上可以完全不用再担心疾病的后果，这种疼痛只会让人不舒服，但不会造成太大的危害；另一方面再利用治标和治本的方法，病发时能够立即去除疼痛的困扰，并使疼痛发作的几率减到最低，再从根本将身体的血气能量提升，正确的排除寒气，就能永远根除这个疾病。

十二指肠溃疡、胃溃疡、胃出血

十二指肠溃疡、胃溃疡、胃出血等，这三种疾病虽然发病的部位和严重程度不一样，但是从疾病和保健的观点来看，三者是同样的疾病。多数人都会认为这个疾病是肠胃的问题。从中医的观点则认为是肝脏的疾病，是生闷气的情绪引起的。

简易的保健方法是每周按摩肝经的**太冲穴**(如 P124 图十六)至少两次，每次按摩 3~5 分钟。如果对经络及穴位有些了解，最好能沿着肝经按摩所有的穴位，每个穴位 1~2 分钟，同时也按摩肾经，提高肾的能力，可以有助于使肝气平抑。当生气或感觉不舒服时，应立即加

建立"生气是用别人的过错惩
罚自己"的观念，尽量避免生
气。

_____

强按摩太冲穴。

由于抑制性的生气也就是生闷气是这个疾病的主要成因，因此必须调整身心或工作环境，并建立"生气是用别人的过错惩罚自己"的观念，尽量避免生气。避免生气并不是有气不发，而是根本就没有气，也就是必须能够心胸开阔，对于别人的过错均能不计较更不放在心上。

工作上的焦虑也会造成生闷气相同的疾病，因此，也必须避免，真不能避免，则只有在工作和健康之间做一个抉择了。

和其他的慢性病一样，这一类疾病的根治，还是得从加强养血气的一式三招做起，使身体的血气能量逐渐增加。身体有了足够的血气，不再透支"火"，肝脏的问题自然会慢慢去除，再修复肠胃的损伤。

有一次在餐桌上认识了一个新朋友，看他头发前方有点秃，显然是肝气上升得很厉害的症状，因此尝试的问他是不是脾气不好，做事急躁。他还没来得及答话，边上两个同事迫不及待地说："他脾气才好呢！"这种情形显现他必定有溃疡性的疾病。道理很简单，前面发秃，肝必定有问题，脾气一定不好。可是其他人都觉得他脾气好，显然他的修养很好，脾气发不出来，只能往肚子里吞，自然就有胃的毛病了。

　　这类疾病就像这个例子，通常犯病的人外表看起来都很温和，但内心却很急躁。在家庭或工作的环境中，他没有发脾气的空间，用一句通俗的话，就是经常受窝囊气的人。例如，家庭中处于弱势地位者、老板身边的出气筒、每天都必须和善面对客户的销售员等，这些有气没得出的人，都是很容易得这个病的。

　　这个病的发作时，很容易从脸上看出来，就是在鼻翼的两侧会出现发红的症状。如果红色程度愈来愈明显也愈鲜红，就表示病情正在恶化中，很可能胃出血很快就会发作。

　　要使这个疾病不再发作，短期只有设法消除生气所造成的肝火；长期就必须从提升血气做起，再加强心性的修养，放开心胸。必要时改换工作，或住家环境，或从宗教信仰中找到精神寄托，用更超脱的眼光看待俗世间的纷争，把去除这个疾病作为人生修炼的目标。

　　当肝有问题，会使人容易生气，也可能由于生气造成肝的问题。可怕的是生气会使肝的问题恶化，肝的问题愈大，就愈容易生气，形成恶性循环，使问题愈来愈严重。这种情绪造成的疾病，药物或经络治疗只有一半不到的功效，最根本的方法只有从情绪的修炼做起。

骨质增生(骨刺)

"骨质增生"俗称骨刺，是目前无法医治的疾病之一，虽然不至于危害生命，但是患者必须长期忍受各种麻痛的感觉，是令人非常痛苦的一种疾病。

疾病原因分析

从人体的结构来看，骨头是人体支撑的架子，脊椎骨只能承受垂直的力量，横向的支撑必须靠肌肉搭配才能发挥完全的功能，如果去除了肌肉，就像实验室中的骨头标本一样，人体将完全摊在地上。

当人体的血气下降到了一定的水平时，肌肉中的血液供应不够，使得肌肉失去辅助骨头的拉力，则部分的骨头，将有倾斜的问题，人体的智能型自我适应系统，为了解决这个问题，在骨头相连的部位，有意的长出突出物，辅助骨头的支撑，代替部分肌肉的功能，这些突出物就是骨刺。

另外，人体受到外伤也会造成骨质增生，这种情形主要是在人体内残留了应力无法消除，就不能用这本书的方法调养。必须寻找高明的整骨医师，消除残留的应力，再用这本书调养的方法才能痊愈。

根治骨质增生的方法

和其他慢性病相同，面对血气不足所造成的骨质增生，主要的方法还是提升人体的血气，增加血液的总量，并提高心脏的能力。当人体的血气上升，又能输送足够的血液进入肌肉，恢复肌肉支撑的拉力时，人体的系统会自动将不再有作用的增生骨刺吸收，没有了骨刺，疾病自然就好了。换句话说，骨刺并不是疾病，不过是人体血气能量低落时，人体应变措施的现象而已。

因此，治疗的方法就非常简单了，就是确实执行血气养生，敲敲胆经，好好睡觉，身体有了足够的血气，使肌肉里充满了血液，有足够的能力支撑整个骨架，身体自然会把骨刺吸收或排除了。

尿毒症

尿毒症是一个可怕的疾病，得了这种疾病的人，由于不能从正常的小便中排泄垃圾，因此，需要依赖俗称的"洗肾"方法，将身体内

肾脏是一个过滤器，就像家里
的滤水器一样，只不过所过滤
的不是水而是血液。

———————————————————

原来需要从尿中滤出的废物利用血液透析设备排出体外。刚开始时每
周 1 次，没多久升高为 2 次，最终每周 3 次，然后就需要等机会换
肾，许多人却因为等不到换肾的机会，结果失去了宝贵生命。

　　肾脏是一个过滤器，就像家里的滤水器一样，只不过所过滤的不
是水而是血液。目前许多家庭中都有各式各样的滤水器，当家中的滤
水器流不出水时，多数人的第一个反应是停水了，通常都会再开别的
水龙头确认是不是真正停水了，很少人会立即反应是滤水器坏了。这
主要是大家都知道，滤水器是让水通过一些过滤材料，将脏东西滤
除，没有什么容易坏的零件，也没有任何活动的部件，是一个很不容
易故障的设备。但是同样的情形发生在人体时，医生的反应就完全不
同。

　　当我们为患者进行推拿保健时，通常发生病变的脏器其相应经络
在推拿时会特别痛。但是当我们为一些尿毒症患者进行相同的保健推
拿时，却发现多数患者在肾经的部位并没有特别痛的感觉，从中医的
其它诊断方法进行诊断时，也看不出患者有肾脏疾病的迹象，反而是
肺脏疾病的症状更明显些。经过一段时间的经验累积以及病理分析，
才发现原来尿毒症患者的病根本不在肾脏，而在血液总量的不足。西
医所说肾衰竭，实际上是一种结果，并不是原因，是指肾脏失去了功

能。肾脏失去功能至少有两种可能，一是没有足够的血液进入肾脏进行过滤，二是肾脏发生故障。

虽然肾脏和滤水器一样，是不容易坏的过滤器官，但是当人体尿液颜色变淡、减少，或肾脏的检查出现异常时，医生却认定是肾脏出了问题，没有医生认为是进入肾脏进行过滤的血液不足所造成的结果。这是由于现有贫血的检验只用血液的浓度来代表血液总量的多少，并不能反映真正的事实，使医生的判断造成误差，总认为血液总量是正常的，不会有"没有足够的血液进入肾脏进行过滤"的可能性。

就因为这样的病理逻辑，使得今天医疗的目标并不着重在解决血液总量的问题，而在解决各种检验指标的维持，也就是认为问题的原因不明，因此，只能从解决结果下手，把治疗的重点放在控制这个疾病恶化的速度，而不在追求根除疾病，使患者回到正常的状态。

尿毒症患者最主要的症状是尿液清淡或稀少，或者完全没有，尿中毒素无法透过尿液排出体外。目前医生对这个疾病的认定，都认为是肾脏的病变或者肾脏萎缩。

从中医的理论来看尿液清淡或稀少，应该从人体的水系统进行分析。在中医的理论中，肺是生水的器官，是人体内的水源系统，也就是说是由肺脏将新鲜的水分布到各个器官。这就像我们生活中的自来水厂，提供整个社会、家庭、公司、机构清洁的水一样。

在中医理论中，脾主运化，运就是运水(人体的水分都是借助血液的循环进行输送，血液是人体运水的载体)。脾脏将器官用过的废水，运到肾脏(这就像我们生活中的污水排送系统，将所有污水送到城市的污水处理中心)，再由肾脏将废水排出体外。肾脏是一个过滤器，把各个脏器送来的含有污水的血液进行过滤，把脏水滤出来，送到膀胱，再由膀胱排出体外。

在整个循环过程中，血液扮演载体的功能，不管干净或用过的水，要输送时都须先将水混入血液中，再由血液将这些水送到应该到的地方。在这样的整个系统中，当最终的肾脏没有尿液排出时，实际上有四种可能性。

第一种情形是人体整体的血量不够时，由于肺脏布水、脾脏运水、肾脏排水这三件事中，水的载体都是血液，因此，当血量不够时，首先必须维持血管中的血液供应，以维持生命的正常运行。血液进入各个脏器的量都会减少。这就会使三个脏器的功能都大为衰减，整个人体处理水的能力当然也就大为降低，各个部位血液流量自然就减少了。而整个人体用水的量也跟着下降，尿液当然也减少了。因此，人体总血量不足，是患者中最大多数的共同问题。

另外三种情形则是前述和水处理有关的三个脏器（肺、脾、肾），其个别脏器的功能出问题，也会使尿液减少。

　　肺脏出了问题，没有将新鲜干净的水布到各个器官。也就是整个人体的供水减少了，这种人一喝水没多久就小便，而且小便都是无色无味的，也就是这些水根本没有进脏器，直接就排出体外了。时间长了，人体就会减少喝水的量，尿液也就跟着减少了。

　　脾脏没有将废水运到肾脏。这种人全身各个部位都有点水肿的现象，就是废水堆积在全身各个部位，脾脏没有能力将之运出去。

　　最后一个可能原因才是肾脏的问题，排不出水，这种人的中段特别胖，也就是水都运到了身体的中段，就是排不出去。

　　无论上述四种情形的任何一种，血气不够，也就是人体的总血量不够，是基本的原因。因此，正确的保健方法，都是设法增加患者的血气能量也就是血液总量。

　　目前多数的治疗方法，是以血液透析的方式，将血液中的水分抽出，以人工方法代替肾脏的排水。其实这并不是治疗，只是认定了肾脏坏了，修不好干脆完全放弃，用机器来代替。而人工的机器实际上只具备人体肾脏的一小部分功能，并不能真正的代替肾脏，患者才会愈洗愈衰弱。

这个方法，使得患者血液中的水分大量流失，人体会自动调整肺脏的供水能量，加大肺脏的负荷。这会造成患者在洗完肾的当天有肺热的现象，使患者不容易入睡。久而久之，肺脏由于过于疲累，造成很大的损伤，甚至崩溃。这就是为什么洗肾的患者，长期下来，皮肤会愈来愈黑而且干的原因。从中医的观点来看：肺主皮肤，皮肤干、黑、粗而且没有光泽，是肺受到很大伤害的主要症状。

　　目前，在本书的方法下获得明显改善的患者，以医生刚判定患了尿毒症，但是还没有开始进行血液透析的患者为主，几乎所有的案例在经过调理和保健之后，都有很明显的改善。

　　尿毒症的患者，由于各个脏器失去平衡，营养不易吸收，也不容易入睡。而且，患者的各个脏器的功能都很低，服用药物或多或少都会增加各个脏器的负担。因此，保健的方法主要是指导患者回复正常规律的生活，再透过推拿各个经络，使各个脏器恢复平衡，让患者更容易入睡，增加患者营养的吸收。

　　在患者身体改善的过程中，目前检验尿毒症的"肌酸酐指数"并不能完全显示病情的变化。这个指数在患者调养过程中会不断的上下波动。例如有一个患者开始时，全身很难动弹，肌酸酐指数高达565单位，经调理两周之后，就能下床行走，观察患者的外表和体力状况明显改善许多，但是指数却时好、时坏的变化，并没有明显的改善。时间长了以后，才慢慢地显示出下降的趋势。

经过分析，认为这个指数之所以会上下波动，主要有多种原因，其中的一部分原因是人体的排尿能力不佳留下来的尿毒，另外一部分是人体血气提升之后，从身体各个部位排泄废物的能力提升，这些废物仍必须先进入血液中，又使得指数升高了。起步的高指数和调养后的高指数虽然数值相同，但是内涵并不一样。

整个保健过程中，可以完全不增加任何药物，利用中医养生的方法，在不增加身体负荷的前提下，调整人体的血气能量，使人体的血气能量恢复到可以启动先天具有自我治疗能力的水准，再利用人体的自我治疗能力逐步改善身体的状况。

至于患者服用其它的药物，除非其服用的药物会使患者于夜间过于亢奋，无法入睡，否则不要求其停止服用。这样可以完全确定不会引起不必要的危险或副作用，让患者更安全，也更安心。

尿毒症患者的养生保健方法

由于这个疾病比较严重，而且在保健过程中，洗肾手段必须相应调整，因此并不建议病人自己单独做，必须有主治的西医支持才能进行。保健方法需要分段进行。第一阶段是养血气为主，也就是敲胆经和早睡早起。

但是，这个疾病的患者最难的就是早睡，特别是每当进行洗肾的当天如果排水量较多时，很容易使身体形成肺热的现象，因此，应和医生协调适当地减少排水量。洗肾病人多数呈现皮肤干黑的症状，这并不是肾脏疾病的症状，而是肺虚的症状，就是由于洗肾时经常抽了过量的水，使得肺的负荷加重，长期处于肺热的状况，久而久之皮肤就黑而干了。

为了能够早点睡，应该尽量避免在夜间进行洗肾，最好是在上午进行。如果在安排上很困难，则必须利用不洗肾的日子，尽量早睡，可能的话七八点就睡，弥补洗肾日子里损失的睡眠。

这个保健方法和尿毒症患者的洗肾治疗不相冲突，也不需要停掉医生所开的药物。唯一要注意的是这些治疗方法如果使患者不容易入睡，则必须和医生商量适当调整。上半夜的睡眠是这个疾病患者最重要的养生功课，也是日后改善与否的关键，因此，任何使患者不能入睡的治疗方法都必须适当调整，这几乎是治疗所有慢性疾病和严重疾病的共同原则。

在患者经过一段时间的调养之后，身体的血气能量会迅速上升，接着会开始清理过去身体无力处理的宿疾，也就是会开始出现生病的症状。由于每个人的体质不同，曾经留下的宿疾也不相同，因此，出现的症状也会完全不同，各种可能的症状都会出现。

最常见的症状是不明原因的高烧，其实多数的患者已经有很多年都没有出现发烧的现象了，这并不代表患者是健康的，而是因为患者完全没有能力对抗疾病，也就没有能力发烧。这时的发烧，应代表患者血气能量已经上升到不错的水平，才有能力对抗疾病，对患者而言，发烧是一个好现象。

如果人体长期处于血气下降趋势，血气下降到人体对脏器完全失控时，也会出现发烧的症状，这就不是好事了。因此，前段所说的"发烧是一个好现象"，仅限于经过调养，血气能量处于上升趋势的病人。这就是疾病诊断时最关键的因素，要先了解病人是处于上升或下降的血气能量趋势。经常在两种不同的血气能量趋势中，会出现相同的症状，其代表的意义却完全相反。

尿毒症的病人调养一段时间后，会出现较复杂的症状，在这里就不详细说明，建议患者这时应和合适的中医师联络，由具有能力的中医师协助进行适当的治疗。

简单的事情考虑得很复杂，可发现新的领域；复杂的现象看得很简单，可发现新定律。

在出现任何疾病的症状，又没有找到合适医生之前，自己最适当的保健方法，则是这本书所建议的养血气方法，按摩心包经。或者依照寒气的保健中所述，依不同季节进行不同经络的保健。即春天加强肝经保健，夏天则加强心经，秋天加强肺经，冬天加强肾经等。

保健过程中，患者可以从身体的体力改善，体重增加（血液总量增加的结果），肤色变白等各种现象，体会身体正在逐渐改善的过程。对于尿毒症患者最重要的肌酸酐指数，在短期内会出现时高时低的不稳定波动，但以月为期的观察，则将会出现明显的下降趋势。

过去的几年中，我们曾经协助几个洗肾的患者进行调养，多数都能有良好的成果，由于外在条件的限制，虽然还没有完全痊愈的病例，但是几年下来，病情都没有恶化，并且有逐渐好转的迹象。

糖尿病

和尿毒症一样，糖尿病的保健养生必须从分析糖尿病成因着手，只有找到真正的原因，才有机会发展出去除疾病正确有效的方法。

糖尿病一直是一个很难医治的疾病，目前医学界认为血糖失控是由于胰脏的功能出了问题引起的，得了这个病只能利用药物或注射胰岛素来控制血糖。和尿毒症的血液透析的治疗相同，这个方法也是认定人体控制胰岛素的功能已经丧失，而且不能恢复，所以放弃了治疗而采用人工的替代方案。因此，不能治愈糖尿病是必然的结果。

如果我们从中医的血气理论来分析糖尿病的成因，便知道当人体的血气在长期处于消耗大于生产的下降趋势，也就是长期的血气透支状态时，人体就必须抽取身体储存的养分来使用。这就是中医常说的"阴虚"体质，这时使用储存能量的透支情形，就称之为"火"。所以中医说到"阴虚"时，都会加上"火重"或"火旺"两个字，就是这个道理。此时人体脏器内的血液会逐渐减少，骨头中的骨髓也会日渐衰减。由于储存的能量必定有用尽的时候，到了中医所说的"阴阳两虚"的状态时，就是"火"也已经用尽了。

当人体到了"阴阳两虚"的状态时，可以透支的能量均已用尽，只好开始抽取人体组织里的其它能量，肌肉是其中的一个选择。这时人体会分泌一种物质，来分解肌肉以产生糖分，作为代用能源。由于分泌出来的糖立即被用掉，因此，在静脉中的血液里并不会有剩余的糖，也没有多余的糖从尿中排出，血糖不会发生异状。在这个阶段，进行血糖的检查，并不会显现糖尿病的症状，主要的症状是肌肉逐渐减少，原来应该有肌肉的部位，逐渐变成一团团松垮的肉。这种现象患者如果不注意，并不会发现，只感到愈来愈没有力气，通常都会将

睡眠增加之后，血气自然提
升，造血量也跟着增加。

之归咎于老化的自然原因。

　　这时，由于原来血气透支来源的"火"，已经用尽，因此，亢奋
的精神状态消失，体力大不如前。原来难以入眠的情形会得到改善，
相反的身体变得很容易疲倦，睡眠会逐渐增加，患者还是很自然地将
之归咎于老化的原因，而没有任何疾病来临的警觉。

　　睡眠增加之后，血气自然提升，造血量也跟着增加。人体依原来
透支体力的状态，分解肌肉所产生代用的糖分就有一部分形成了多余
的状态，这个时候做血液检查，就会发生血糖升高的症状，人体会自
动将这些多余的糖分排出体外，因此尿中也会有糖，就成了糖尿病。

　　我们用一些假设性的数字来作推论，可以更清楚地说明这个问
题。假设人体每天所需消耗的蛋白质（人体的正常能量假设为蛋白质）
为 100 个单位，由于人体的吸收及睡眠问题，使人体只能生产 50 个单
位，人体为了维持正常的运行功能，会生产一种物质来分解肌肉，产
生 50 个单位的糖，用以代替不足的蛋白质，由于所有的糖生产出来后
随即用掉，没有多余的糖从静脉中排放出去，因此在检查时不会出现
血糖太高的现象。

　　当人体下指令生产代用的糖分时，人体会自动调整各种内分泌，
使人体较容易产生疲倦感来增加在造血时段的睡眠时间，这是人体的

自我保护措施，睡眠增加了，蛋白质的生产自然也就提高了。假设这时生产的蛋白质总数达到 80 个单位，只需要再补充 20 个单位的糖就够了。但是人体的回馈系统不会因为短期的数值就进行调整，必须观察一段时期，确定这种高量蛋白质的生产是一种常态现象，才会修正原来生产糖分的指令。因此，在这段观察期，人体仍然生产出 50 个单位的糖，其中的 30 个单位的糖就多了出来，人体会透过尿液将之排出体外。

这时如果到医院检查，就会查出血糖太高的现象，依照目前医学界的标准，医生很自然地判断病人得了糖尿病，立即要求患者改变饮食习惯，限制患者的食物，减少患者养分的摄取。这时原来已经提高到 80 单位的蛋白质生产，由于缺乏营养，又开始下降了，一直下降到 50 单位的产量。这时人体的血糖又回复正常了。医生认为患者又回复了健康，其实患者又从上升的血气趋势回到了下降的血气趋势，医生的治疗手段实际上中断了人体的应变措施而不自知。

其实，此时的身体状况已经过了最不好的时期，血气正在渐渐增加，健康正在改善中。就算不使用任何药物，只要继续保持良好的睡眠习惯，并改善人体营养吸收的能力，过了一段时间，人体的血液总量增加了，血气也从下降趋势改为上升趋势，不再有血气透支的情

当人体缺少某种营养时，会自
动改变人的口味。

形，人体不再需要分解肌肉来充当能量，血糖自然就会逐渐降低，最
终回复到正常状态。

目前医学界认为糖尿病是患者饮食不当所引起的，主观地认定糖
尿病就是患者喜欢吃糖或长期饮食过量所引起的。因此，一旦诊断出
了糖尿病，就开始限制患者的饮食。患者原来的吸收问题没有解决，
加上饮食的限制，使营养不足的问题更加严重。

在现代医学头痛医头，脚痛医脚的逻辑里，当身体出现容易疲倦
的病态后，到医院检查发现血液和小便中的糖分太多时，就立即认定
是患者吃多了糖。其实此糖非彼糖，血液中的糖分并不完全是吃进去
的糖。这个观点也完全低估了人体的智慧，把人体想象成一根肠子通
到底，吃多了糖，就排出了糖，完全忽略了人体是一个复杂的化学工
厂。

当人体缺少某种营养时，会自动改变人的口味。喜欢吃糖的人很
可能是身体的能量大幅不足，糖是最容易在人体内转化成能量的食
物，因此人体就会转化口味，使其喜欢吃糖。就算吃得太多了，人体
也会自动将其排出体外。

现代医学利用控制患者的饮食，降低能量的摄取，来维持表面上
血糖的稳定；实际上人体由于能量不足，仍在继续分解肌肉，血气能

量持续下降，健康状况继续恶化。患者虽然依照医生的指示，严格控制饮食，以维持稳定正常的血糖指数，但是血气能量仍然不断地下降，各种后续的症状陆续发生，当血液不足以供给腿部时，就出现腿功能异常，发黑，最终锯掉；当血液不足以供给眼部时，就出现失明的症状；最终走向死亡。

医学界有许多科学家投入于解决糖尿病问题的研究工作中，但是几乎所有的研究都集中在找出可以控制血糖的药，却由于缺乏中医的概念，没有进行血糖升高的整体医理研究。

糖尿病患者的养生保健方法

从前面陈述的病理分析，糖尿病是血气极度低落的症状，因此，保健的方法和多数疾病一样，起步仍是血气养生法，即敲胆经和早睡早起，使血气快速上升。

在血气上升的过程中，随着人体生产正常能量的增加，血糖会不断上升，到了一定程度之后，才会开始逐渐下降，直到回复正常为止。在明了这个过程之后，对于上升的血糖不必在意，只要感觉体力不断提升，身体的不正常症状逐渐好转，就表示疾病正逐渐远离，身体也在逐渐康复之中。

和尿毒症的保健一样，在血气上升到一定程度之后，身体会开始处理早期积累下来的疾病，可能出现的症状非常复杂，这时必须找合适的中医师协助处理。

在出现任何疾病的症状，又没有找到合适医生之前，自己最适当的保健方法，则是进行血气养生法，按摩心包经。或者依照本篇第二章感冒中所述，依不同季节进行不同经络的保健。即春天加强肝经保健，夏天则加强心经，秋天加强肺经，冬天加强肾经等。

我们从临床的经验中发现，糖尿病的患者肌肉都显得较一般人为少，同时，在养了一段血气之后血糖就出现升高的症状，再经过一段时间才会逐渐下降。

我们从平常的握手中，就能很容易从一些柔弱无骨的手掌中分辨出糖尿病的患者，这些人手掌的肌肉已经消耗掉了。通常这些人在体检时仍查不出糖尿病的症状，经过调养了两三个月后，才会出现高血糖的糖尿病症状。

从这些经验中归纳出糖尿病发生的逻辑，这个逻辑和传统对糖尿病的认知完全不同，可以说是一种另类思考。但是，依据这个逻辑不但能够准确预测糖尿病的发生，更能够借以拟定正确的保健方法，克服糖尿病。

肿瘤及癌症

癌症是现代人最害怕的疾病，在统计上，台湾约有四分之一的人死于癌症，癌症一直是十大死亡原因之首，长期以来癌症就是绝症，几乎和死亡画上等号。

癌症的成因极为复杂，年轻的癌症患者和年老的患者不同，不同的癌症成因也不相同，血气低落是所有患者共同的原因，除此之外还涉及许多心灵方面的问题，单纯的血气养生法不足以克服癌症。

通常癌症患者多数在生活习惯或情绪上必定有造成疾病的原因，因此面对疾病时，最好能彻底改变生活习惯，放松情绪，或许还有康复的机会。有些人将癌症或肿瘤割除了之后，就认定疾病已经康复了，于是回到原来的工作岗位，继续过着原来的生活习惯，承受着相同的压力，这种情形过不了多久，癌症必定再度复发。

有些人则完全相反，得了病之后万念俱灰，觉得原来的生活毫无意义，于是放下了所有的工作，也放弃了治疗，远离城市，到乡村中度过残生，许多癌症康复的例子很可能都是这种情形。

中国大陆诺贝尔文学奖得主高行健先生，曾经被医师诊断得了肺癌，在万念俱灰下，他辞去了工作，远离城市到中国的大西北，完全放松的情况下过了一段写作的日子。再回医院诊断，医生不再发现任何癌症的迹象，结果做出早些的诊断是误诊的结论。其实很可能原来的诊断是正确的，很可能由于他面对疾病后，彻底改变了生活习惯，血气上升之后身体自己治愈了癌症，可是医生认为癌症不可能自己会好，就做出本来是误诊的结论。

美国有些癌症患者在得了癌症之后，到一些另类疗法的调养中心治疗，他们的治疗采用生机饮食的方法，所有的食物都自己动手栽种。病人都住到乡下，过着日出而作，日落而息的原始生活，也配合一些草药的治疗，听说这种疗法的痊愈率很高。其实这些成功的病例中，很难分辨出哪一些是由于草药的功效，哪一些又是生活习惯改变的功效。

从人体能量的观点这个角度来看癌症，我常常把癌症分为肿瘤和癌细胞两种。肿瘤是身体由于能量不足无法把垃圾排出体外，暂时将之集中在垃圾流通的通道上。

癌细胞既然称之为细胞，则是人体组织的一部分。细胞经常会死亡和再生，当人体的血气能量过于低落时，再生细胞没有足够的能量，很可能制造出具有瑕疵的细胞，就是癌细胞。

中医的理论，人体的五脏六腑是经常处于平衡状态的，因此当一个人的能量不足，使得脏器出现癌细胞，或身体某处堆了肿瘤时，身体其它的脏器必定也存在着癌细胞，其它部位也可能存在着肿瘤。这些众多的癌细胞或肿瘤，开始时很可能只被发现一两个部位的病变，等身体血气更低时，各个部位的病变更加恶化，终于被陆续的发现。于是就成了现代医学所称的转移。

癌细胞是人体的组织，是被固定在某一个位置不会移动的，肿瘤也许会流动，但不同位置的肿瘤，其内涵通常也不同。这种转移的情形很可能根本从来没有发生过，是现代医学依照其在细菌学上成功的经验所推论出来的结果。

在现有医疗概念下，癌症的治疗风险很高，主要是现有医学检验的方法，对疾病的恶化和好转经常会造成和实际情形相反的判断。

例如，从肿瘤是人体的垃圾观点所发展出来的治疗方法，必定是调养身体的血气，使身体有能力排除肿瘤。由于这些肿瘤都是固体形态的垃圾，而且多半处于人体的经络上。人体只有从大便中才有排泄固体垃圾的能力，而大便排泄的固体垃圾只有食物的残渣，不会有身体组织间的垃圾。身体组织间的固体垃圾必须被稀释成液体，才有机会从汗液或小便中排出体外。

也就是说，当身体有能力排泄肿瘤中的固体垃圾时，必定需要先将这些垃圾充水溶化成液态，才有可能被排出去。当肿瘤一充水，必定使体积大幅增加，在现有的肿瘤诊断概念里，这时必定被医生判定为恶化。医院里只有在第一次的诊断中会做组织切片检查，了解肿瘤的成分，确认了肿瘤的性质之后，就以肿瘤的大小来判断疾病的恶化程度，肿瘤变大了就认定是恶化的证据。因此，当身体有能量清理肿瘤时，很容易被判定为疾病恶化了。

　　目前几种肿瘤的标准治疗方法，是利用化学或放射线照射的手段，使肿瘤变小。这些方法之所以被接受，主要是根据"肿瘤大小和疾病的程度成正比"的概念下所发展出来的。实际上这些方法很可能只是把身体好不容易集中起来的垃圾，再打散均匀地分布到组织里去而已。把垃圾集中成肿瘤很可能是身体在能量不足时清理垃圾的一个途径，即便是把垃圾集中起来，必定也耗费了人体不少的能量。就像我们打扫庭院时，光是把垃圾集中起来就要耗费不少功夫一样。

　　实际上这种打散肿瘤的治疗方法，很可能只是徒然地伤害了身体。就像把集中成堆的垃圾打散到院子各个角落里，就看不到垃圾堆，但是垃圾总量并没有减少。癌症治疗和糖尿病治疗相同，都是在"眼见为真"逻辑下所发展出来的"粉饰太平"治疗法。

长期保持血气的充盈是避免癌
症最好的方法。

　　在医学系统没有发展出正确的检验方法之前，癌症治疗的各种尝试都是非常危险的。正确的治疗方法，很可能被判断成使身体恶化的结果；而错误的方法却具备身体改善的假象。在这样的环境之下，防止癌症发生是最好的策略。由于血气低落是癌症患者共同的原因，因此利用本书的养生法，长期保持血气的充盈是避免癌症最好的方法。

第九章 总结

现代医学不像大多数人认知的那么昌明

18 世纪，西方发现了细菌，随后发明了抗生素，一举控制了瘟疫。从此奠定了西医权威的地位，同时也将西医的发展走向以微观证据为主的方向，所有医学的技术都朝向微小世界去寻找答案。为了在这个微小世界里找答案，因此发展出愈来愈精密的各种设备，这些设备的愈来愈进步，使人们也觉得医学愈来愈进步了。

经过了近两百多年的发展，到了 20 世纪末，在解剖学上，对于人体的各个部分，似乎都已经查清楚了，可是许多疾病的原因却仍然是个谜。也有许多的疾病虽然推断出了疾病的原因，可是依据这些原因所发展出来的医疗方法，并不能真正的把疾病去除。多数的慢性病，只能用药物控制，患者必须终生服药，而医生也很明白地告诉患者，这些药只能减缓疾病的恶化，并不能真正断除疾病的根。实际上除了细菌性的疾病和外科手术以外，西医能够完全治愈的疾病并不多。多数严重的疾病只能控制而不能治愈。

由于整体西医理论建立在解剖学的基础上，因此至今只有个别器官的学说，没有整个人体运行的完整理论模型。例如高血压就认为问题出在心血管，所有治疗完全着重在如何降压。糖尿病就认为问题出

在一知半解的身体上切切割割，必定带来更多的问题。

在分泌胰岛素的胰脏，就利用药物来平衡胰岛素的分泌。这些方法都建立在"人体会造成这些症状，必定是一种控制上的失误"的假设。这是一种完全忽视人体系统智能能力的逻辑。

人体自身具有一个智能型的自动控制系统，这个系统很可能在发现人体有问题时，能自动调整各种系统的参数，克服这些问题所造成的影响。

例如，由于人体血液浓度改变，血管硬化等原因，使人体以原有的血压，无法将血液送到必须送到的地方时，人体会主动调高血压，来达到目的。也就是说，高血压的现象有可能只是人体的应变措施所造成的结果，它本身并不是一种疾病，而目前的治疗方法主要着重在调整血压，这只能防止血管因压力太大而破裂，并不能消除造成血压上升的真正原因，因此当然不能将之治好。找出人体采取应变措施的原因，消除这些原因，才是治病的根本之道。

1995 年美国曾经出版一本书名为《还我健康（Reclaim to our health）》，揭开美国医学界的许多黑幕。其中对美国医师协会利用各种手段排斥西医以外医疗方法的研究和发展，以及美国医学界和利益团体之间的许多见不得人的事，都有很深入的描述。我曾从事投资工作多年，了解西方国家的许多医学研究经费都是由药厂投资的。这一点使我怀疑他们的研究是真的想把人们的疾病去除，还是只想控制疾病。目前西医的治疗方式是要求患者每天每餐都要吃药，许多疾病都必须终生服药，这是最符合药厂利益的。不禁让人怀疑医学界今日的困境是不是受到这些利益影响的结果。

在那本书中也提到很多这一类医学界轻人命而重利益的实例。最让人惊心的是癌症治疗的两种方法：放射性治疗（放疗）和化学性治疗（化疗）。书中提到放疗最早被用来治疗癌症的动机，完全是美国政府为了降低舆论反对其进行核能军事用途的研究而硬找出来的和平用途。然后透过政府和利益团体的力量，使这项治疗方法让保险公司列为合法的癌症治疗手段，保险公司愿意支付费用。从此这项方法虽然没有实际的证据证明真的能够治疗癌症，但是仍然是目前最主要的医疗手段。

化疗则是另一个类似的例子，开始时它所使用的药剂，是二次大战时的化学武器药剂。同样的也是在没有证据证明它有效的前提下，只要保险公司愿意支付，医院就会推荐患者使用。因为所有的医生都知道这两个疗法都不能治愈疾病，因此他们从不说明到底有多少治愈率，而是强调它1年或5年的存活率有多少。

书中还提到美国对这些放疗和化疗医生所做的问卷调查，问他们

"如果他们自己或自己的家人得了癌症，愿不愿意接受他们经常替患者所做的放疗或化疗治疗？"调查的结果出乎意料，居然绝大多数的医生都不愿意，理由是他们自己没有见过真正被治好的患者，但是这些治疗所带给患者的痛苦实在是太可怕了。

每一个人环顾自己周围的亲人，总会发现在有限的亲友中，就有许多现代医学无法治愈的慢性病。例如失眠、痛风、坐骨神经痛、肌无力、关节炎、过敏性疾病、各种心脏病、高血压、骨刺（骨质增生）、肝炎带原、哮喘、硬皮症、尿毒症、糖尿病、各种癌症等，都是非常普遍的现代人疾病。再从另外的角度来看，几乎人体从头到脚每一个器官都有现代医学束手无策的疾病。这两点使我对现代医学昌明的说法有很大的怀疑，当然对西医的治疗，只着重控制，而没有能力治愈疾病的本质，更有深切的体认。

"中医现代化"不是"中医西医化"

中医和西医相反，从开始的理论就是用宏观的方式讨论人体的系统模型，从而发展出整套的医疗方法。但是其系统过于庞大，用西医微观的观点，很难立即提供直观的证据，因此一直被认为不科学。加上中国数百年来的弱国形象，使中医的地位在世界上一直无法建立。

分了科的中医就再也看不到完整药的系统了。

　　近百年来，中国不断的在各个方面进行现代化，中医也不例外。由于现代化的主事者在开始时就先入为主地认为西医较中医为优。早期在二次大战期间的汪精卫伪政府，甚至还有废除中医的计划。因此中医现代化的工作，立足点采取完全否定中医，大胆引进西医的方法，用西医的分科，及西医的诊断方法来重新界定中医。

　　这种做法，与其说是"中医现代化"，不如称之为"中医西医化"来得贴切。这种牛头不对马嘴硬套的结果，使得中医完全失去了原有的优点。"头痛医头，脚痛医脚"是长期以来中医认定庸医的标准。但是中医现代化引进了西医的观点以后，西医和现代化以后的中医大多数用的是这个逻辑。

　　真正的中医面对疾病的态度和西医完全不同，首先必须很清楚地了解敌人是疾病，而人体的作战指挥部是人体内的自我治疗系统，不是外在的医生。外在医生的任务，首先是了解敌情和战况、人体自我治疗系统的工作方向及作战时可能的外在反应。其次是了解人体自我治疗系统能力薄弱的环节，在适当的时候给予必要的支持，扮演好后勤补给的角色。

　　同时适时地给予患者病情的解释，使患者了解自己身体的工作状况，配合人体自我治疗系统工作的需要，调整心理状况和生活作息，提供自我治疗系统最大的能量补给，做好安定患者情绪的工作。也就是外在的医生，实际上是人体内部医生的助手。

在中国大陆，我接触过许多中西结合的医生，他们多数满脑子西医的概念，开药时，中药、西药都开。最常见的做法是"西医的诊断，中医的处方"。这是最大的弊病，首先对于脏器的定义，中西医就有很大的不同。其次中医的诊断还必须经过各种逻辑的推演，如"四诊八纲"的辨证，才能找出生病的器官。

用西医头痛医头的逻辑诊断，开中医的药，是完全行不通的。例如，胃溃疡和十二指肠溃疡，在西医认定为胃或十二指肠的疾病，但中医却认为是肝和情绪的疾病。如果依照西医的诊断，开出治疗胃或十二指肠的中药，其结果当然不会理想了。

其实中医最重要的应该是诊断，透过望、闻、问、切的手段，对患者进行包括整个身体和从幼年到成年的生活习惯、心理状况以及近期的特殊事件等做全面性的了解，再依医生的经验进行整体的判断，找出病人真正的病因。只要诊断的方向正确，治疗就变成很简单的事了，可以有许多不同的治疗手段，都能对疾病产生改善甚至痊愈的效果。

严格说来中医现代化，并没有真正开始。例如，中医最讲究血气，可是至今没有任何仪器可以度量血气的多寡。其它虚症、实症更不用说了。

　　中医、西医结合的方式，应撷取中医在诊断上优异的分析逻辑，以及西医在仪器应用和数据化的各种检查手段，将中医的各种诊断仪器化和数据化，逐步验证中医的各种理论。

真诚和无私的分享

颜展敏　吴清忠

【编者按】

　　《人体使用手册》内容不复杂，观点明确，语言非常有感染力和说服力。尽管它的各种版本在网络上已流传很久，早就拥有"江湖地位"，我们在审读这部书稿时，却依然很激动。它最大的价值就是提醒我们要关注健康，让我们充满回归正常生活规律的动力。我们希望让更多的人能分享到这一切。出版是一件严肃和谨慎的事，因此我们做了许多编前工作，向作者提交了一份问卷，把我们能够想到的一切问题、我们认为没有疑问但一般读者可能会产生的疑问全部向作者提出，而作者也一一作了回答。现在，我们将这份访谈附在书后，希望能够促进作者编者读者三者之间的沟通和互动。健康是我们做一切事情的前提，我们都应该珍爱身体。保健的方式多种多样，而此书提倡的身体调理方式是作者多年钻研积集所得，是出于他与人"真诚和无私的分享"的心愿，供各位读者参考。这份问卷是开放式的，欢迎读者在看了此书后给我们写信，提问、切磋、反馈意见。

编者：是什么样的原因促使您写作这样的一本书？

作者：由于工作上长期的劳累，使我健康发生了问题，后来我遇到两个很好的中医按摩师，他们很快地使我重拾健康。发现原来健康不是现代医学告诉我们的那么困难和复杂，而是非常平凡而简单的一些观念和方法，因此，希望把这个经验分享给更多的人。

编者：为什么书名叫"人体使用手册"？这个名字在我们读来有点拗口，我们一般习惯叫保健手册之类的。此书名代表了您对人体保健持什么理念？

作者：我的工程师背景，使我在读《黄帝内经》时，觉得那根本是一本《人体使用手册》，教导我们如何生活，生病了如何处理。同时在研究中医时，也觉得人体似乎是经过设计的完美物体，许多地方都能看出设计者的斧凿痕迹。

例如，中医把人体分为脏和腑，脏指的是心、肝、脾、肺、肾，腑指的是大肠、小肠、胃、胆、膀胱和包括了胸腹腔的三焦，对人体而言，脏的重要性高于腑。脏的经络都在身体的正面，以及手脚的内侧，腑的经络则都在身体的背面和手脚的外侧。当人体受到外力威胁时，只要蹲下来蜷曲身体，所有器脏的经络都在内侧，很不容易受伤，这种设计是考虑非常周详的。

作者访谈
真诚和无私的分享

如果人体是被设计出来的，那就应该配一本《使用手册》，教导人们如何正确的使用身体，《黄帝内经》似乎就是设计者留给我们的使用手册，只是古代的用语不容易理解，因此，我想写一本让人很容易理解的《使用手册》。

许多人类设计的产品，例如电脑、电视等，都配备了使用手册，只要依着使用手册使用，这些设备都非常不容易出现故障。人体是自然界设计的更完美产品，如果每个人都能正确地使用身体，疾病应该非常不容易发生。

编者：*在成书之前，听说《人体使用手册》的草稿在网络上流传了3年？网友的评价如何？最好的评价是什么？最差的评价是什么？*

作者：许多网友从这本书中得到更真实的身体知识，许多人试了一式三招，健康真的改善了，于是才会一传十、十传百地流传出去。

这本书好的评价很多，主要是那些得到健康的人写的，许多人都希望更多的朋友看这本书，最多的评价是认为这本书是"无私的分享"。差的评价倒很少，最多认为这是反科学的一本书。

编者：*现在是资讯社会，有很多东西，闪现一下就消失了，特别是在网络上，而您的书在网络上有如此强的生命力，您认为最大的原因是什么？*

欲望是健康的最大负担

　　作者：这本书的流传是无意间造成的，开始时，经常有朋友问我健康的问题，我正在写这本书，为了能让朋友很快了解，因此就把还没有完成的书稿传给他们看，希望他们自己能理解，省得我多费唇舌。后来朋友的朋友有需要，朋友问我方不方便传给别人？有没有版权的顾虑？由于写书的本意就是助人，朋友想要送的人必定是健康出了问题，和他的健康相比，版权不是那么值钱，因此毫不考虑地就同意了，也告知不需考虑版权的问题，于是就传开了。

　　而这本书中的方法，是毫无保留地把真实的经验写出来，又是免费分享的。许多人都难以相信在网上会有这样的书，而且又有人验证之后发现书中的方法是真实有用的。许多人以为那些在网上供人下载的版本是盗版的，还写信通知我，其实在起步时我就没有在意过版权。这样的分享，反而促使我后来平面版的出版更容易销售，这是始料未及的。因此，"真诚和无私的分享"是这本书最重要的生命力。

　　编者：读完全书，发现您对传统中医极为自信？这种自信来源于什么？

　　作者：系统学是我最擅长的科学，从系统学分析，西医有许多不合逻辑的理论，中医的古书则很难找到错误的地方。同时我研究过东西方医学的发展史，深知西方医学在慢性病方面从来就没有真正的理论。而中医的各种理论和方法，具有很好的逻辑性，这些理论可以解释各种慢性病，在理论方面，中医的发展远较西医进步数千年。

我对中医的自信则来自于自己对中医的理解，虽然不敢说融会贯通，但对于大多数的慢性病都能有相当程度的理解，经常能够准确地协助朋友解除病痛。

编者：书里非常强调日常保健的基本功课，请问这个日常保健的"一式三招"具体指什么？您身边的人都有实行这个一式三招吗？他们有什么感觉？

作者：一式三招指的是早睡、敲胆经和按摩心包经。

我的家人和朋友，许多人都实施一式三招，特别是一些重病患者找我帮忙，都是从一式三招开始，很快就能看到成果。

由于一式三招太简单了，许多人开始时都持很高的怀疑，但是实施一段时间之后，病痛就开始减轻了，精神体力也开始变好了，失眠的人也开始睡得着了。

有一个医生朋友，本来学的是西医，行医一段时间之后，觉得他自己的医术无法真正地帮助病人，于是再去学中医。也许是学得不对，因此，还是觉得不足，又去学气功，始终都没有找到真正能帮助病人的方法。我们有机会认识之后，他学了这一式三招，也感受到这种方法的好处，很感慨地说"踏破铁鞋无觅处，得来全不费功夫"，原来是这么简单的道理和方法。他在台湾中部开一家小医院，可是却很少开药给病人，他最常开的处方就是这一式三招。

编者：您在书中挑战西医的一些治疗法则，一般病人都是弱势群体，能提出这样的质疑，这需要极大的勇气，您这些勇气是从哪里来的？

作者："科学进步，医学昌明"是我们从小就被教导的概念，可是环顾四周的亲朋好友，却又有那么多不能治的慢性病。我在企业界工作，这种话听起来就像一个公司每天都在赔钱，经营者却用许多美丽的谎言，安慰那些投资的股东一样。明明面对大部分的慢性病都束手无策，却又不断地教育整个社会现在"科学进步，医学昌明"，建立医学界不可侵犯的权威，掩饰医学体系的无能。

"科学进步，医学昌明"这句话已经传了一两百年。20世纪初或者更早，人们就认为已经"科学进步，医学昌明"，可是当时连电脑都没有，现在回头看起来很可笑。今天我们这么说，一百年后当人类的科学更加进步，我们的子孙再回头看今天的我们，必定也觉得很可笑。

我们发现了的书中所列举的那些检查方法的不合理，以及各种疾病逻辑的误谬，在逻辑上西医有许多理论和方法是经不起仔细推敲的。也就是真理在我们这边，这就是我的勇气基础。

当年哥白尼发表"地圆说"时，不也违背了整个主流科学界的认知，虽然今天看当年的那些主流科学界，可能有许多人非常不耻他们的行径，但相同的故事可能在任何一个年代里发生。今天我不过拿中国人祖先留下来的东西来指出西医的问题，比起当年哥白尼的勇气，还差得很远呢。

平时我经常协助朋友对抗疾病，书中的各种慢性病的逻辑，其实都是我们的经验，相信未来都会慢慢的被证实。每当我们克服一种疾病，就发现一种西医理论的误谬，也找到一种用现代语言重新诠释中医的方法。

其实我想做的不只是这类的质疑，而是希望能有医界的人也开始用这种态度来重新检讨他们的理论。希望他们不要一味地在枝微末节的技术研究中浪费时间，应该回到最基本的哲学层次理论的重建工作。基本的方向错了，再多的研究都是没有意义的。

我非常寄望这本书在大陆的出版，我深信未来必定是中国科学家才能发展出解决慢性病的技术，希望这一天早日到来。有人说"21世纪是中国人的世纪"，至少在医学技术方面，我深信如此。

改革开放后的中国，一切向西方看齐，其实最好的东西并不在西方，而在我们自己祖宗留下来的遗产里。

编者：您在书内提到，实行"一式三招"之后，"有些人体力很差，经常很容易疲倦，到医院又查不出什么毛病，在试行了这套方法三到四个月之后，体检时就可能出现血糖升高的糖尿病症状，这些都是好转的现象……"请问这种情况的人多吗？我想如果知道会产生这个结果，很多人都不敢实行了，我就有点怕，您怎么看？

作者：在西方国家及台湾，流行许多的另类疗法，如西方的同类疗法（或称顺势疗法），在治疗的过程都会出现这一类"好转反应"。因此，这类问题许多人都能接受。

实际上，如果是重病患者，在康复过程中还会出现远比这些反应严重许多倍的好转反应。在我的 Blog 中，就有一篇最近我帮助过的大肠癌病人家属写给我的信，他的主要感想是"康复的路比放弃困难得多"。请参考 http://alexwu2300.blogspot.com/

编者：书里提到的保健常识，有些是不需要技巧的，只要有这个理念然后坚持就行，例如"早睡早起"，但有些我认为是很专业的，例如"敲胆经"和"按摩心包经"，请问实行这两条时有什么禁忌？任何体质的人都可以这样做吗？每天都可以这样做吗？

健康不存在了，再多的 0 又有什么意义。

作者：这两条经络是身体大多数时候都能按摩的，对于大多数人，除了避免在饭后一小时内实施之外，没有什么禁忌。

但是孕妇是不能敲胆经的，还有血友病人有可能会使微血管破裂而内出血，也不适合。

编者：简单的东西其实是最难做到的，例如"不生气"和"保持洁净的肠胃"，但我想您肯定做得很好，请问您有什么经验可以分享？

作者：我是一个很平凡的人，在平常的工作和生活中同样地会遇到许多不平的事，还是会生气。以前会把这些怒气忍下来。学了中医之后，知道忍下的气还是很伤身体的，因此，就改变了这种做法，只要有不平就尝试着用比较婉转的方法和对方沟通，在小事上就把压力泄除，这样可以避免将怒气累积到一定程度，再爆发开来所造成的身体和人际关系致命的伤害。

有时还是不能避免生气，生了气回家赶紧按摩太冲穴，把肝气疏泄出去，把身体受到的伤害减到最低。

在学习中医之前，我很喜欢吃生鱼片，也常吃生的龙虾，几乎从来不拉肚子。自己调养血气一段时间之后，肠胃即开始修复工作，由于肠胃的问题实在太多，一修就是很多年。最近有一次参加朋友的宴会，看到生鱼片，忍不住又吃了一片，结果回家拉了一个星期的肚子，可是那天一起吃的朋友们，却没有人有任何问题。在大多数人的认知，这是我的肠子不好所致，我自己知道这是我调养多年的成果。我的肠子又变干净了，具备了婴儿般灵敏的反应，只要有不洁的食物进入，它必定会将之清除干净。

我有两个孩子，以往我们吃东西都不太忌讳互相的接触，经常把自己吃一半的食物分享给孩子。结果孩子的肠子就有许多问题，脸颊上长了一些小痘子。学了中医之后，才知道那些痘子和小肠有密切的关系，于是在家中严格实施公筷母匙，杜绝彼此之间唾液交换的可能性，再加上一式三招，没多久，小孩的脸色就开始变得红润，也不再有便秘的问题了。

编者：您周围的朋友在实行这个一式三招的过程中，有什么有趣的事情发生？可以讲一下吗？

作者：在经验里女性比较容易接受我的方法，这是比较有趣的现象。我们平时的经验，似乎男人比较容易接受科技的产品，可是这种未被完全证实的理论，却是女人比较容易接受。似乎男人比较迷信权威，女人则比较相信自己的直觉。虽然我是男人，但是我的认知是女人远比男人更具灵性和智慧。

有一些现象是本来难以想象的。曾经有一群朋友一起实施我的方法，其中大多数人体重都上升了不少，但外形却没有变胖。有一个女性朋友，从四十九公斤升高到五十六公斤，但所有的衣服都没有更换。我的判断是她体内增加了许多血液，而那些血液都存在体内的脏器，所以外形并没有变化。由于缺乏仪器的验证，我无法证实那些重量都是血液，但一个人的血液可能会有五至十公斤重量的变化，这是很惊人的。

编者：听说您此书的繁体中文版今年中已经在台湾出版？还一直在畅销书排行榜上？一般是些什么样的读者买此书？

作者：今年六月一日我的书在台湾出版，完全没有行销的广告宣传，一个月内就在金石堂（台湾的大型连锁书店）和博客来（台湾最大的网络书店）进入排行榜。由于我没有实际的统计资料，很难知道是什么样的读者买这本书，从读者来信，似乎是年龄层在二十五岁以上，六十五岁以下的都有。特别是健康有问题的人特别多，许多网站和报纸都主动地帮我传播这个消息。

有一个有趣的现象，在出版的初期，销量很大，大多数是网上看过我的书的人买的，第一波的热潮过后，销量开始下降，过了一个月，销量又开始逐渐回升。前期的大销量，主要是期待很久的网友买的，后面的销量回升，则是看过的人一传十、十传百的效果，许多单位都是集体透过网络购买。

大概网络上很少有这样的先例，在出版之前，出版商担心大多数的网友都看过了我的书，会不会不想花钱买？结果正好相反，大多数买我的书的人，都是网上看过的，而且多数人都不只买一本，这本书很可能是最多人拿来当礼物的书，有人在网上封这本书为本年度馈赠亲友的最佳礼物。在台湾，平面书出版之前，许多人都把这本书打印出来看，也有单位内部集体打印后卖给同事。

我本来不知道这本书在网上的流传状况，直到有一天和新见面的朋友交换名片，新朋友看到我的名字当场惊叫，吓了我一跳，他说正在读我的书。我从未出书，丈二金刚摸不着头脑，以为他弄错了，过一会他拿出打印的书给我看，我才发现这本书已经传开了。很快地我也收到朋友传给我的书，再到网上搜寻，才发现网上有很多可以下载这本书的网站，也有很多人在讨论这本书。

编者：现在的简体中文版在广东出版，请问它与台湾版，与网络版，在内容上有什么调整？

作者：由于我不会画图，随便贴上别的书中的图，担心会侵犯别人的版权，因此在网络版的书中没有插图。平面版的书，由于专业出版社的协助，找了专人画图，使书本读起来更方便易懂。另外，为了让读者有更深的印象，我特地请上海著名的漫画家郑辛遥老师为我画了二十幅漫画，表达出这本书中许多重要的观念，这也是网络版中没有的。

平面版中增加了一篇寒气，那是我最近的研究心得，是非常重要的论述。我接触的所有重病患者，身体内最大的问题就是寒气。虽然这方面在古书中有许多论述，但至今没有用现代物理或化学方法的描述，我提出的方法，限于我的环境，无法提供科学化的验证，但在我自己临床的经验，用这个方法和逻辑是能圆满解释各种不同寒气的症状。

由于简体版的出版时间较繁体版晚了几个月，花城出版社组织了最好的工作班子来企划这本书，因此在版面的选择和图片的制作上都记取台湾版的缺失，做了许多改正。

2005.9.6

愿天下人都能拥有健康的自信

　　怀着戒慎恐惧的心情，花了许多年，不知改了多少个版本，总算完成了这本书。这本书原本的用意是免费提供给需要的朋友，并且同意他们可以送给需要的人，因此，在网络上流传了3年，没想到却受到许多网友的青睐，其中很多人建议我出版平面的书，并且也有出版社感兴趣。由于3年来，我自己又有许多新的体会和想法，因此又花了几个月重新整理，增删了许多章节，并且加上必要的图片，完成了这本书。

　　现代的医学几乎对所有慢性病都束手无策，显然医学这门科学存在着很大的缺陷。这是一门会影响每一个人生和死的学问，有时候小小的一个错误都会让某些人失去生命，没有机会补救。因此，这个行业有很严格的法律，限制着各种行为。这些法律原来的用意是为了保护病患的权益，也保护了医生权益。法律规定医生只要用被认可的医疗方法为患者治病，如果因此导致患者发生生命上的任何损失，他们没有责任。由于事关人命，任何这方面的法律责任都是非常严重的。

　　这样的法律也严格地限制了医生思考的动力，只有在教学医院工作的医生有资格开发新的治疗方法。即便是这些教学医院的医生，也必须冒着很大的风险，经过很长时间的动物实验，才能在病人身上施行。

多数的医生都只能用学校所学，或医学界公认的方法来治病。虽然全世界有这么多的医生，但是只有极少数的医生有条件开创新的医疗方法。在这样的环境里，就算华佗再世也很难再成为一个神医。

虽然在这本书中对整个现代医学有很直接的批评，但是当我们亲身经历在加护病房中与患者共同和死神搏斗，体会了那种惊心动魄的历程之后，对于许多献身医疗事业，每天必须面对这么恶劣环境的医护人员有无限的敬意，今天医学的问题并不是任何人的错，而是各种无法掌握的因素长期造成的。

我们所有的科学家伙伴们都没有医生资格，但是每一个人都花费很长的时间研读众多的中医古籍。我们不能开业行医，只能建议一些具有医师资格的朋友参考我们的方法，或者提供朋友观念上的指导。

多数时候，我们是在自己的身上进行各种试验，每个人都很珍惜每一次生病的机会，因为这是最好的实验机会。所幸我们的方法是最自然而且安全的，因此，并没有冒任何风险。每次生病，都有机会仔细观察自己体内到底发生了什么事，仔细思考身体在做什么。这本书有许多章节，都是我在生病时所写下来的。费伦教授则在多数的经络研究中充当白老鼠，多数实验中的照片都是他自己担任主角的。

也因为"我们不是医生"的限制，让我们有机会发展出这一套完全不需要医生资格就能做的保健手段和全新的健康观念。却意外地发现，原来正确的观念比昂贵的药物和危险的手术更能帮助患者消除疾病。

由于我们都没有受过正统医学的教育，在思考疾病的成因时，完全没有任何框架，每个人用他原来学过的科学知识来建构自己的疾病模型，再经过一群不同技术背景的朋友共同讨论，就发展出这一套理论和观念。我们不敢说这就是真理，但是，许多朋友读过我们整理的文章后，都认为很有道理，也很合逻辑。其中很多人身体力行地奉行我们的一式三招及健康观念，健康真的就这么得到了。

希望这本书能够带给更多的朋友和家庭健康快乐的人生，也给医学界带来一点改变，让更多的人开始思考医学的基本问题，建构更接近真理的医学模型。有朝一日能够将现在困扰全世界的这些慢性病全数消除。

每一个人学会了正确使用自己身体的方法之后，睡眠成为最重要的健康手段，未来的医疗费用应该极为低廉，希望有一天慢性病医疗服务不再是一种商业行为，而是社会最基本的公共设施，这个世界上的每一个人都有能力和权力享用。

在掌握了健康的方法之后，真正享受到完全不用担心疾病的自信，这种感觉真好，但愿您也能和我们一样拥有这份自信。

吴清忠
2005.8.15